儿童文学导读丛书

世界
著名童话

韩进◎编著

SHIJIE ZHUMING
TONGHUA

北京师范大学出版集团
BEIJING NORMAL UNIVERSITY PUBLISHING GROUP
安徽大学出版社

图书在版编目(CIP)数据

世界著名童话/韩进编著.—合肥:安徽大学出版社,2012.5(2020.9重印)
(儿童文学导读丛书)
ISBN 978-7-5664-0334-6

Ⅰ.①世… Ⅱ.①韩… Ⅲ.①童话—作品集—世界Ⅳ.①I18

中国版本图书馆CIP数据核字(2011)第209760号

世界著名童话

韩 进 编著

出版发行: 北京师范大学出版集团
安 徽 大 学 出 版 社
(安徽省合肥市肥西路3号 邮编230039)
www.bnupg.com.cn
www.ahupress.com.cn
印　　刷: 合肥远东印务有限责任公司
开　　本: 184 mm×260 mm
印　　张: 15.5
字　　数: 201千字
版　　次: 2012年5月第1版
印　　次: 2020年9月第8次印刷
定　　价: 38.00元
ISBN 978-7-5664-0334-6

策划编辑: 钟　蕾　李海妹
责任编辑: 李海妹
责任印制: 赵明炎
装帧设计: 李伯骥
美术编辑: 李　军

目录

怎样进入童话世界

在文学的世界里，有一块神奇的园地。这块园地“可以创造任何奇迹”，能令杏树冬日开花，让冰霜用银色的长指封住六月炽热的嘴唇……小学生享有它，老师享有它，老师的老师享有它，文学大师享有它，普遍大众享有它。从牙牙学语的婴儿到白发苍苍的老人，都被准许入内而且流连忘返。这就是童话世界独具的魅力。谁不梦想能拥有进入这一世界的“暗语”呢？就像阿里巴巴对着藏满财富的山洞所说的：“芝麻芝麻，开门吧！”

一、认识童话是一种特殊艺术形态的体裁

在文学大家庭中，有一类具有特殊审美价值的虚幻故事，它以拟人、夸张、象征为主要表现手法，以幻想为艺术形态的基本特征，以儿童为主要读者，人们将这类作品统称为“童话”。

童话起源于民间文学，由神话和传说演变而来。最早出现的是民间童话，如我国广泛流传于民间的《田螺姑娘》《老虎外婆》等都是优秀的民间童话代表。民间童话在其流传过程中又有变异，不同时代、不同地区、不同民族的人们按照各自的需要和理想对民间童话加以补充和改造，因而同一类型的童话，在我国有《叶限姑娘》和《老虎外婆》，在西方有《灰姑娘》和《狼外婆》。后来，一些文学工作者也开

始自觉地收集、整理民间童话。东方有古印度的《五卷书》和阿拉伯的《一千零一夜》，西方有法国贝洛的《鹅妈妈的故事》和德国格林兄弟的《格林童话》。收集和整理这些童话故事，虽然谈不上是专意为儿童的，但孩子确实在分享着它——分享它的奇幻性，分享它的美丽动人和惊险场面，以及由此而产生的快乐。正因为儿童所表现出的非凡兴趣，才引起了文学家对童话类作品的特别关注，才有了为满足儿童的阅读需要出现在民间童话基础上的创作童话（又称"文学童话"），并且产生了安徒生这样一位具有世界影响的童话大师。

"童话"一名词在我国的出现是在20世纪初，但这并非意味着直到20世纪我国才有童话作品。我国古代文学典籍中就收存着许多优秀的童话故事，如晋代志怪小说集《搜神后记》中的《白衣素女》（《田螺姑娘》），唐代段成式撰写的《酉阳杂俎》中的《叶限姑娘》等。但我国创作童话起步较晚，第一部创作童话集是1923年出版的叶圣陶的《稻草人》。

由此可见，童话既是一种古老的文学样式，几乎与神话、传说处于同生共体的状态，属于全人类；又是一种新型的文学样式，是儿童文学最基本、最重要的体裁，属于儿童。因而，典型意义上的童话是指那些为儿童读者而采记、复述、加工、再创作的具有浓厚幻想色彩的奇妙故事。

童话，从其来源看，可以分为民间童话和创作童话。从体裁形式看，可以分成童话故事、童话诗和童话剧。从读者看，可以分成成人童话、少儿童话和低幼童话。从童话的人物看，可以分成（以异乎寻常的神仙妖怪、魔法宝物为主人公的）超人体童话、（以普通人作主人公的）常人体童话和（以各种人格化的动植物或其他无生物为主人公的）拟人体童话。从内容看，还可分成文学童话和知识童话（科学童话）。

二、理解童话的核心是幻想

与其他文学样式相比，童话的独特之处是它的幻想特征。没有幻想就没有童话，不能正确理解童话的幻想，也就不能进入童话世界充分享受童话的美趣。

幻想是什么？它是一种不存在、一种虚构，或者说是一种假定、一种象征、一种比喻……所以，一个童话所描述的，也是一种不存在、一种虚构，或者说是一种假定、一种象征、一种比喻……人们就是要用这种不存在来反映存在，要用虚构来反映真实。谁都清楚格林笔下的白雪公主和七个小矮人是现实生活中并不存在的人物，但千百年来，无论是成人还是儿童都深爱着他们，因为在他们身上集中体现了人类真善美的高尚情感；谁也不会相信现实生活中的猫狗会说话，但人们却津津乐道于“鸟言兽语”的故事，因为其中所讲的都是人情世故。

明白了这些，在阅读童话时，就不会像读小说那样去理解童话的艺术真实性，更不会像读报告文学那样去苛求童话生活的真实性。阅读童话首先是儿童幻想心理的满足，发展儿童的幻想力，再进一步才是透过童话幻想情境的趣味去体味深藏在其中的意蕴。

然而，童话的幻想又不是与生活无关的瞎想。童话幻想的功用既然是用虚构来表现生活，那么这幻想就必须来源于生活，正如童话大师安徒生所说的：“生活本身就是童话”，“最奇妙的童话是从最真实的生活中产生出来的。”真实的生活怎么能一下子变成虚假的幻想呢？这就要求童话作家必须具备使生活幻想化的才能。幻想要生活化，生活要幻想化，这是童话必须遵循的规律。所谓“幻想要生活化”，即要求在安排人物的思想活动、角色之间的相互关系、事件的发展变化等方面，必须遵循生活规律和自然规律。比如，作者尽可以讲述小羊如何和凶恶的狼打交道并最终战胜了狼，但如果这种战胜是写一只初生的羊羔竟然吃掉了狼，那就是十足的荒唐。所谓“生活要幻想化”，即要求童话在反映生活时必须符合幻想的法则，也就是必须为幻想的人物的活动、虚构的故事情节的发展提供一个假设的条件，然后从这一假定的前提出发，使童话人物与事件在假想的生活环境条件下，合乎情理地自然发展，通过假戏真做，使作品具有强烈的艺术真实性。

三、了解童话的表现手法

童话中描述的永不存在的幻想事件，通常是运用夸张、拟人、象征等艺术手段表现出来的。

夸张。夸张是文学艺术中常用的一种艺术手法，但童话的夸张自有其特殊的规律，它不是对生活中某一部分简单而适度地放大或缩小，而是极度地夸张，全面地夸张。这种夸张具有假定性、比拟性、虚幻性、情节性。比如《格列佛游记》，通过对人物大小的夸张，虚拟了“小人国”和“大人国”两个假想国，所有的故事情节都从这极度夸张中发展而来。没有了夸张，也就没有了这个故事本身。不仅如此，童话中异彩纷呈的童话人物形象也是由夸张产生的。宝葫芦能说人话、有人一样的思想情感，是拟人的夸张；木偶匹诺曹一说谎话他的鼻子就变长，是变形的夸张；马良的神笔是神化的夸张；豌豆公主能感觉到四十条垫被下面有一粒豌豆，是怪诞的夸张；丑小鸭变成了美丽的天鹅，是象征的夸张。所以，童话的夸张是从童话内容到形式的全面夸张，是从童话人物到童话情节的极度夸张，童话的夸张成为童话这种文学样式赖以生存的重要因素。没有夸张，也就没有了童话中的幻想。

拟人。拟人就是把非人类的东西加以人格化，赋予它们人类的思想感情、行动和语言能力。拟人体的童话人物，就是采用拟人化的手法塑造的。在超人体与常人体中也同样离不开比拟，因为一个概念、一种观念、一种品质，都可以在拟人手法下变成童话人物。比如张天翼童话《宝葫芦的秘密》中那个能说会道的"宝葫芦"就是"不劳而获"寄生思想的人格化了的产物。严文井童话《春夏秋冬》还将四时变化的天气现象人格化，称冬天"是一个冷酷而又易于发怒的老人"，夏天"是一个脾气很坏的郁闷的青年人"，"冬有一个女儿，叫作春姑娘。夏有一个妹妹，叫作秋姑娘"。拟人手法的运用既使童话形象具备了人的特点，又保留了它作为物的某些基本属性，使童话形象具有了似幻犹真、亦真亦幻的美感。人性与物性的和谐统一，不仅吸引着读者的阅读注意，而且可以让读者从中体味到隽永的艺术内涵。

象征。象征是一种通过某一具体事物把某种抽象的概念、思想或情感形象可感地表现出来的艺术手段。童话的象征有别于其他文学艺术的象征，就在于童话形象自身的象征性，这种象征性是生活中某些人与事的艺术的折光和譬喻而不是简单的类比，它取"神似"而不取"形似"。譬如《宝葫芦的秘密》里那个跟王葆纠缠不清的葫芦，其实就是不劳而获这一思想意识的象征。阿·托尔斯泰的《大萝卜》中的小鼠，是共同完成某件大事而不可或缺的微弱力量的象征。值得注意的是，童话的象征是由人物的全部活动所构成的故事整体来表现的，我们在阅读童话时，不能孤立地就某一事件、某一情节、某一句话去猜测它的象征意义，一定要从整体上来考虑。童话的整体象征意义成为童话把幻想与现实结合起来的重要方式。

童话的表现手法除上述三种最常见、最重要的手法外，还有其他的表现，如对比法、惩罚法、巧合法、误会法、反复法、梦幻法等。出于情节内容等方面的需要，同一篇童话中的表现手法也不是单一的，通常是综合运用多种表现手法，塑造出栩栩如生的童话形象。

四、体会童话对儿童健全成长的意义

众所周知，童话是儿童文学中最具有儿童特点的一种文学样式，究其原因，是因为童话的幻想品质不仅满足了儿童爱幻想的心理，而且对发展儿童的幻想力有着积极意义，所以受到儿童与成人的一致欢迎。与其他儿童文学体裁比，童话虽然也有“启导儿童思想、陶冶儿童性情、增长儿童知识、丰富儿童生活”这些共同功用，但发展幻想力，却是童话最独特的功用。关于幻想力的重要性，列宁曾说过：“甚至数学也是需要幻想的。没有它，甚至不可能发明微积分。幻想是极其可贵的品质。”大科学家爱因斯坦说得更形象：“没有想象力的灵魂，就像没有望远镜的天文台。”

每个人都有自己的童年。每个人的童年生活情景虽然各不相同，但是童年时代的人都无一例外地是通过幻想来认识和把握世界的。正如周作人所说的：“儿童都是拜物教的，他相信草木能思想，猫狗能说话，正是当然的事；我们要纠正他，说草木是植物，猫狗是动物，不会思想或说话，这事不但没有什么益处，反是有害的，因为这样他们的生活受了伤了。即使不说儿童的权利那些话，但自然地阻遏了儿童的想象力，也就所失很大了。”因而，在“儿童相信猫狗能说话的时候，我们便同他们讲猫狗说话的故事，不但要使他们喜悦，也因为知道这过程是跳不过的——然而又自然地会推移过的”。“等到儿童要知道猫狗是什么东西的时候到来，我们再可以将生物学的知识供给他们”（周作人：《艺术与生活·儿童的文学》）。只可惜，“世上太多的大人虽然都亲自做过小孩子，却早失了‘赤子之心’，好像‘毛毛虫’的变了蝴蝶，前后完全是两种情状：这是很不幸的。他们忘却了自己的儿童时代的心情，对于正在儿童时代的儿童的心情于是不独不理解，予以相当的保育调护，而且反要加以妨害，儿童倘若不幸有这种的人做他的父母师长，他的一部分的生活便被损坏，后来的影响更不必说了”。（周作人：《自己的园地·阿丽思漫游奇境记》）更可悲的是，这种“妨害”又都是在“为着你好”与“爱”的光环下，甚至是妨害者与被妨害者始终不能自知。“望子成龙”的父母们大都过早地忙于给孩子灌输知识就是一例。他们沾沾自喜地以为这是开发儿童智力最重要的措施，殊不知在低幼儿的早期教育中，培养幻想力要比灌输知识重要得多；过于偏重知识的灌输不仅没有必要，而且常常是有害的。现代教育学认为：“努力使孩子早熟地聪慧是徒劳的。即便他们在五六岁时比其他的孩子具有更多的知识，那又有什么用呢？这些知识在被派上用场之前就会被忘掉，并且这样被浪费的劳动和时间是无法得到补偿的。”人的发展也是分阶段的，每一阶段有其不同的发展任务，跨越了阶段，就会打乱进化的程序，引起发展的混乱，造成精神的畸形。因而，就儿童的健全成长而言，在他们想象力发展的时代确有这种空想作品的需要，我们大人无论凭了什么神圣之名，都没有剥夺他们这一需要的权利，我们所能做的就是挑选那些最优秀的作品供给孩子们，让儿童在想象力正旺盛的时候，得到童话的滋润，愉快地成长。

【中国】陶潜

白水素女

晋安帝时，侯官县有个年轻人叫谢端，当年十七八岁。他为人老实，干活勤奋，待人谦和有礼，左邻右舍见了，人人夸奖。

说起他的身世，也怪可怜的。他刚懂事时，父母就去世了，剩下他一个孤儿，无依无靠，怎么过活？隔壁的大娘见他憨厚可爱，收养了他。

别看他年纪小，做起事来却像大人似的。一早起来，就把里里外外收拾得干干净净；吃完早饭，就跟着大人下地帮着干活；临睡前还要搓点草绳什么的，总不让自己闲着。大人夸他，他总是低着头，红着脸笑笑。

他一天天大起来，见大娘家里人口多，日子过得艰难，总觉得这样下去不是长久之计。到了16岁，他再也憋不住了，决心独自去闯荡生活。

“大娘，”他结结巴巴地说，“我……我……”

“端儿，有什么事就直说吧，大娘不怪你。”

“这些年来大娘辛辛苦苦地把我拉扯大，我真不知道怎样才能报答您老的大恩。现在，我已16岁了，想搬出去，自己养活自己。”谢端总算把要说的话说了出来，轻轻地舒了口气。

大娘一下子愣住了，过了好一会，红着眼圈轻轻地问：“孩子，是不是在我家有什么不舒心的事？”

谢端连忙说：“大娘，您为我费尽了心，您老就是我的亲娘。现在我长大了，不能再劳大娘操心。我想学着自己过日子，开点荒，种点地，慢慢地成家立业。”

大娘想了半天，终于含着眼泪点头答应了。

一个人过日子可真不容易。为了多开荒、种好地，谢端每天一早就起来，天黑了才回去。烧上一锅饭，能吃好几顿。多亏大娘有空就来看他，帮他缝缝洗洗，拾掇拾掇，才使他的家像个样子。

看着谢端忙里忙外，饱一顿饥一顿的，大娘可心疼了。她东托人西托人，想给他找个媳妇。只因谢端家里穷，拿不出什么彩礼，一时也找不到合适的。

一天傍晚，天快断黑了，谢端擦擦汗，到水沟里洗洗手，准备回家。

忽然，他见到一只大田螺。那只田螺可大了，壳里能装两三升东西。这么大的田螺真稀罕，他带了回去养在水缸里。

一连十多天，大娘没来，他总是一早就带上干粮下地。一天晚上，他回来一看，不由得一愣。桌上，饭菜热腾腾的；床上，被子叠得整整齐齐；地上，扫得干干净净。谢端以为是大娘帮着弄的，心里着实感激。那天的饭特别香，菜的味道也特别好，他吃得乐滋滋的。他躺在床上，被子是晒过的，盖在身上暖和和的。

一连几天，家里都打扫得一尘不染，饭菜都烧好了放在桌上。谢端心里实在过意不去，赶忙到大娘家里去道谢。

哪知大娘这几天不舒服，躺在床上根本没出门。他心里纳闷，这是哪个好心人给自己帮忙呢？想来想去想不出是谁。

人家给自己帮忙，总得道个谢才行。他一连问了几个人，都说不知道。有个后生跟他开了个玩笑："你呀，准是偷偷地娶了个媳妇藏在家里。不然，谁家里没事，天天给你烧饭烧菜收拾家？"谢端给弄了个大红脸，张口结舌答不出话。

不弄出个究竟，心里总是不安。第二天一早，他仍旧扛着锄头下地。下午，他早早地回来，躲在篱笆后面偷偷地看着家里。

不一会儿，出了怪事，水缸里居然走出个姑娘。那姑娘鹅蛋脸，两道弯眉下长着一双大眼睛，笔直的鼻梁下有张樱桃小口，就像画里的美人，要多美有多美。

她先把家里收拾一番，然后忙着淘米洗菜，到灶下烧火煮饭。

谢端看得心儿像小鹿似地乱跳，蹑手蹑脚地进了大门，来到水缸边一看，田螺壳是空的。他一下子明白了，每天给自己烧饭的就是这个田螺姑娘！

他径直走到灶下，向姑娘施了一礼。姑娘抬头见了他，大吃一惊，白嫩嫩的俏脸一下子红到脖子根，站起来就要向水缸那里走。

谢端拦住了她，说道："多谢姑娘天天给我帮忙。不知姑娘是从哪里来的，为什么偏偏帮我这个穷小子？"

灶下地方小，姑娘走不脱，只得回了一礼，低着头款款说道："我是天上银河里的白水素女，是天帝派我到你家来的。"

"哦？"谢端原以为她是田螺精，没想到她竟是天上的仙女，"仙姑这么好的心地，我不知道怎样才能报答你。"

"天帝知道你自幼没了父母，却能自强自立，特地要我下凡帮助你。我是奉命而来，还说什么报答不报答的！"

谢端听了满心欢喜，鼓起勇气轻轻问道："那你留在我家不走了？"

白衣素女摇摇头，说道："千不该万不该，只怪你不该私下偷看，又拦住我盘问，现在我真相已露，想不走也不成了。"

谢端一下子呆住了，忙问："怎么不成？"

"原先，我受命帮你管10年家，让你富足起来，娶上一个好媳妇，美美满满地过日子。"她深情地看着谢端，叹了口气，接着说道，"天条规定，仙女的身份一旦暴露，就不能留在凡间。人世虽好，只是天命难违。"

"啊,有这等事?"谢端听了好不后悔。

"往后,只要你辛勤劳动,慢慢地就会富裕起来。我走了以后,你可得好好照顾自己。"

谢端愣在那里,不知道说什么才好。

"我的田螺壳留给你,用它贮藏粮食,你就不会缺粮了。"

"田螺壳我不要,"谢端看着白水素女,脱口说道,"我只要你!"

"你是个好男儿,何愁娶不到妻子?"白水素女安慰他道。

谢端走上一步,握住她的手,说道:"我家虽穷,我会好好待你的,你还是留下吧。"

"不行。国有国法,天有天规,我要走了。"

突然间,狂风吹得"呼呼"直响,倾盆大雨"哗哗"下个不停,只见电光一闪,平地一声炸雷,眨眼间白水素女就不见了。

导读

《白水素女》是民间童话"田螺姑娘"最早的书面记载,也是我国最早有文字记载的童话之一,出自古代志怪故事集《搜神后记》。此书旧题晋陶潜撰。陶潜是晋代大诗人,是著名散文《桃花源记》的作者。

《白水素女》是一篇很有中国特色的童话。田螺为中国农村稻田中常见的水产物,形状很像姑娘的发髻,人们由此产生了田螺变化为少女的幻想。作品又把少女与银河的神话传说联系起来,点明田螺姑娘来自天上银河,是白水素女。白水素女变成田螺,田螺又变成姑娘,形成典型的童话变形模式:人变物——物变人。这种变形模式后来为童话所普遍采用。童话讲述了一个贫苦少年谢端偶然得到神助过上美好日子,但终因神、人不同,仙女倏然离去的悲剧故事,表达了下层穷苦青年的美丽幻想及其对美好爱情、生活的渴望。

这个童话故事影响很大,千百年来民间广为流传着内容大同小异的"田螺姑娘"的故事。汉族的"苹果姑娘""鹿姑娘",高山族的"螺蛳变人",达斡尔族的"江蚌姑娘",苗族的"孤儿和龙女"等,都属同一类型的故事。

【中国】段成式

叶限姑娘

南方人中流传这样一个故事：秦汉以前，当地有个洞主姓吴，当地人称他为吴洞。他娶了两个妻子。有个妻子死了，留下个女儿，名叫叶限。叶限从小就聪明能干，很会淘金，父亲吴洞很喜欢她。后来，吴洞死了，后母虐待叶限。她常常叫叶限到危险的山上砍柴，到深溪边取水。

一天，叶限取水时捞到一条两寸多长的小鱼。这条鱼长着红色的鳍，金黄的眼睛，很好看。叶限就偷偷地用盆子将它养起来。鱼一天天长大。叶限给它换了几次容器。最后它长得太大了，叶限就将鱼放养到屋后的池塘中。叶限总是把节余下的食物投到池塘中喂鱼。每当叶限来到池边，鱼就露出水面，把头靠在岸边。其他人来水边，鱼从不肯出来。叶限的后母发现了，多次来池塘偷偷观看，鱼就是不肯出来。叶限的后母就狡猾地对叶限说："你不是很辛苦吗？我给你做件新衣穿吧。"她把叶限的旧衣换下来。后来，她让叶限到一个非常远的泉边去打水，自己穿上叶限的衣服，在袖子里藏了一把快刀，走到池边向鱼呼唤。鱼刚一露出头，她就一刀将鱼砍死。那条鱼已经长到一丈多长。她把鱼肉做成菜，味道比一般的鱼好得多。后娘又把鱼骨头埋在粪土堆里。过了一天，叶限来到池塘边，却再也见不到鱼了。她很伤心，就跑到野外大哭起来。突然，从天上降下一个披着头发、穿粗布衣服的人，这个人安慰叶限说："你不要再哭了，鱼已被你后母杀了吃了。她把鱼骨头丢在粪土中。你快回去，把鱼骨头收藏在房子里，你需要什么东西，只管求它，它会满足你的要求的。"叶限照那人的话去做，不管是金银珠宝还是衣物食品，想要什么，就有什么。

洞人们的节日到了，后母去赶节，却叫叶限看守庭院里的果子。叶限看到后母走远了，就穿上缀有翡翠的衣服和金色的鞋子，也去参加洞节。后母的亲生女儿认出了叶限，对母亲说："这个人很像大姐。"后母也怀疑是叶限。叶限一察觉到，便匆忙往家里赶，结果丢了一只鞋。这只鞋被当地人捡着了。后母回到家，看见叶限正抱着一棵树睡觉，就把怀疑搁下了。

与此地相邻有个海岛，岛上有个陀汗国，国势强大，统治着几十个岛屿，控制着几千里海域。捡鞋的洞人将鞋卖到了陀汗国。国王得到了鞋，命令他周围的人试穿，结果鞋比众人中最小的脚还小一寸。于是国王下令要全国的女人来试鞋，最终没有一人穿着合适。这只鞋比毛还要轻，踩在石头上也不出声。国王认为那个洞人的鞋来路不正，就把他监禁起来，拷问他。他却始终说不出来历。因为这鞋是丢在路边的，国王就下令在附近挨家挨户搜捕，若谁家有女子能穿这种鞋，就抓来报告。后来，搜捕的人在叶限家找到了另一只鞋，国王很觉得奇怪，就搜查她们的房子，找到了叶限，让她穿上鞋子证实。于是叶限就穿上缀有翡翠的衣服和金鞋进见国王，她美丽得像天仙一般。叶限将事情原原本本向国王陈述，国王就带上叶限及鱼骨一起回到陀汗国。后母和她的女儿当即被飞石打死了。洞人们可怜她们，把她们的尸骨埋在石坑中，取名为"懊女冢"。洞人们把她们当作媒神，祈求很灵验。

回国后，陀汗国王封叶限为王妃。

导读

这篇民间童话是我国也是世界范围内"灰姑娘型"童话的发端之作，载于唐代段成式的笔记故事集《酉阳杂俎》。段成式（约 803—863），能文善诗，诗与李商隐、温庭筠齐名。他学问渊博，喜欢搜罗故事佚闻，写成了《酉阳杂俎》一书，在童话史上有突出地位，其中有一篇《旁㐌》是世界上最早的"两兄弟型"童话。

童话中的孤儿叶限姑娘受到继母的虐待，这在封闭落后、把血缘关系看得高于一切的社会里，是一种不难见到的现象。不幸的孤儿要想得到像其他人一样的关怀、同情、温暖与爱，只能寄希望于幻想，幻想有一种超人的力量，能帮助她改变命运。童话通过人物命运的鲜明对比，说明了"善有善报，恶有恶报"的人生哲理。叶限姑娘也因此一直是民间童话的一个基本母题。

无独有偶，法国童话家贝洛的《鹅妈妈的故事》和德国《格林童话》中也有类似的驰名世界的"灰姑娘"故事，它曾经打动了很多善良的心灵。但我们不能忘记，这个故事的真正源头可能在中国，因为段成式的记载在公元 9 世纪，比西方早了近千年，而且在《叶限姑娘》中，段成式还明确指出叶限姑娘的故事出于广西少数民族地区。今天在壮族地区还流传着这个故事，名叫《达架和达仑》，女主人公叫达架，她的妹妹叫达仑。据说"达"是女子名的冠词，"架"是孤儿的意思。"达架"与"叶限"，古代语音相近，还有人说德文中的"灰"（Ascnhn）也与"叶限"音近。

【中国】黄之隽

老虎外婆

有个给我讲老虎故事的人，说（安徽）歙县这个地方的崇山峻岭中有很多老虎，母老虎老了往往变成人去害人。

有一个山农叫他的女儿提一筐枣，去看望外祖母。外祖母家离她家约六里地。女孩年幼的弟弟跟随着，他十来岁，姐弟俩一同前往。太阳落山时，他们迷了路，遇上一位老太婆。老太婆问："到哪儿去？"姐弟俩回答说："要去拜见外祖母。"老太婆说："我就是你们的外祖母啊。"两个孩子说："我们回忆起母亲说的话：'母亲脸上有七颗黑痣。'你不像我们的外婆。"老太婆说："是的。刚才簸糠时蒙上了一层灰尘，我去洗掉灰尘。"于是，老太婆去到溪沟边，拾得七颗螺蛳眼盖贴在脸上，走过来对两个孩子说："看见黑痣了吗？"姐弟俩相信了，跟随老太婆而去。

进入墨黑的林间，穿过狭窄的小道，到了一个地方，好像是个巢穴。老太婆说："你们外公正在选择木料，准备另外建造居室，现在暂时居住在这里。没想到你们两个来，慢待了你们。"说着便草草地做了晚餐。吃完晚餐，准备睡觉。老太婆说："你们两个哪个胖些？胖些的那个枕着我睡在我怀中。"弟弟说："我胖些。"于是弟弟枕着老太婆睡，姐姐则睡在老太婆脚头。刚睡下，女孩觉得老太婆身上有毛，问："这是怎么的？"老太婆说："这是你外公的破羊皮袄。天气严寒穿着它睡暖和些。"半夜里听见嚼食的声音，女孩问："这是什么声音？"老太婆说："吃你送来的枣啊。夜晚又冷又长，我年纪大了不能忍受饥饿。"女孩说："我也饿。"老太婆递给女孩一颗枣，却是一个冰冷的人的手指。女孩大惊，起身说："我去上厕所。"老太婆说："深山老虎多，你小心些不要起来。”女孩说：“外婆你用大绳子系着我的脚，有危急就拽绳拉我回来。”老太婆答应了，于是用绳系着女孩的脚，手握着绳的另一端。女孩起身，拽着绳子走出来，在月光下一看这绳却是一根肠子。女孩急忙将肠绳解脱，爬上树躲避。老太婆等了很久，呼叫女孩没有应声，又呼叫：“小孩回来，要听老人的话。不要让肌肤中了寒风，明天病着回去，你母亲又说我不会照顾你。”于是就拽拉肠绳，肠绳拉完而女孩却没有回来。老太婆哭喊着起身，边走边呼叫。她看见女孩在树上，便喊她下来。女孩没有应声。老太婆恐吓她说：“树上有虎。”女孩说：“树上比床上好。你才是真老虎！竟然忍心吃掉我弟弟！”老太婆恼怒而去。

没过多久天就亮了，有挑担的人从树旁路过。女孩呼叫说：“救救我，有老虎。”挑担的人便将衣服挂在树上，自己急忙背着女孩逃走了。不一会儿，老太婆带领两只老虎来，指着树上的衣服说：“人在这里。”两只老虎折断树只看见衣服，以为老太婆故意捉弄欺骗自己，于是大怒，咬死老太婆后离开了。

黄子（黄之隽）说：欺诈害人，终究会以自败告终。然而，当欺世害人者的真面貌还没有暴露的时候，一定有人会中计。人如果遇到化为老太婆的老虎时，难道可以不警惕吗？

导读

这篇民间童话是我国最早见于记录的“兽外婆型”故事，载于清代黄承增（生卒年不详）编撰的文言故事集《广虞初新志》。该书共 20 卷，第 19 卷收有《虎媪传》，即这篇“老虎外婆”，作者署名黄之隽。黄之隽（1668－1748），字石牧，号唐堂，安徽休宁人，后迁居江苏华亭（今上海市松江区）人，为康熙年间进士，官至右春坊右中允，著述颇丰，有诗文《庴堂集》等传世。

《老虎外婆》这篇食人式拟人童话是以孩子为主人公，以孩子和吃人动物的矛盾冲突构成内容，以孩子为讲述对象，用的是向孩子讲故事的口吻和语言。主要情节是老虎变成外婆欺骗天真、轻信的孩子，孩子生疑、发问、用计，突出了老虎的奸诈和孩子的机智，传达出一种紧张而略带恐怖的气氛，非常适合儿童神秘、好奇的审美心理，并告诉孩子们要警惕善于伪装的恶人，要敢于进行大胆机智的斗争。

这则童话流传极广，随区域不同，人物、细节稍有出入。有的地方叫“狼外婆”，有的地方叫“熊外婆”，但基本情节大体一致。有意思的是，这类童话在西方也广为流传。17世纪，法国童话家贝洛第一次用文字将其记录下来，在时间上差不多与中国同时，题名为“小红帽”，被后人视为欧洲童话的发端。19世纪德国的《格林童话》中，也有《小红帽》，但情节有了新变化（参见本书《小红帽》）。

【中国】叶圣陶

稻草人

田野里白天的风景和情形，有诗人把它写成美妙的诗，有画家把它画成生动的画。到了夜间，诗人喝了酒，有些醉了；画家呢，正在抱着精致的乐器低低地唱，都没有工夫到田野里来。那么，还有谁把田野里夜间的风景和情形告诉人们呢？有，还有，说是稻草人。

基督教里的人说，人是上帝亲手造的。且不问这句话对不对，咱们可以套一句说：稻草人是农人亲手造的。他的骨架子是竹园里的细竹枝，他的肌肉、皮肤是隔年的黄稻草。破竹篮子、残荷叶都可以做他的帽子；帽子下面的脸平板板的，分不清哪里是鼻子，哪里是眼睛。他的手没有手指，却拿着一把破扇子——其实也不能算拿，不过用线拴住扇柄，挂在手上罢了。他的骨架子长得很，脚底下还有一段，农人把这一段插在田地中间的泥土里，他就整天整夜站在那里了。

稻草人非常尽责任。要是拿牛跟他比，牛比他懒怠多了，有时躺在地上，抬起头看天；要是拿狗跟他比，狗比他顽皮多了，有时到处乱跑，累得主人四处去找寻。他向来不嫌烦，像牛那样躺着看天；也向来不贪玩，像狗那样到处乱跑。他安安静静地看着田地，手里的扇子轻轻摇动，赶走那些飞来的小雀，他们是来吃新结的稻穗的。他不吃饭，也不睡觉。就是坐下歇一歇也不肯，总是直挺挺地站在那里。

这是当然的，田野里夜间的风景和情形，只有稻草人知道得最清楚，也知道得最多。他知道露水怎么样洒在草叶上，露水的味道怎么样香甜；他知道星星怎么样眨眼，月亮怎么样笑；他知道夜间的田野怎么样沉静，花草树木怎么样酣睡；他知道小虫们怎么样你找我、我找你，蝴蝶们怎么样恋爱。总之，夜间的一切他都知道得清清楚楚。

以下先讲讲稻草人在夜间遇见的几件事情。

一个满天星斗的夜里，他看守着田地，手里的扇子轻轻摇动。新出的稻穗一个挨一个，星光射在上面，有些发亮，像顶着一层水珠，有一点儿风，就哗啦哗啦地响。稻草人看着，心里很高兴。他想，今年的收成一定可以使他的主人——一个可怜的老太太——笑一笑了。她以前哪里笑过呢？八九年前，她的丈夫死了。她想起来就哭，眼睛到现在还红着，而且成了毛病，动不动就流泪。她只有一个儿子，娘儿两个费苦力种这块田，足足有三年，才勉强把她丈夫的丧葬费还清。没想到儿子接着得了白喉，也死了。她当时昏过去了，后来就落了个心痛的毛病，常常犯。这回只剩她一个人了，老了，没有气力，还得用力耕种，又挨了三年，总算把儿子的丧葬费也还清了。可是接着两年闹水，稻子都淹了，不是烂了就是发了芽。她的眼泪流得更多了，眼睛受了伤，看东西模糊，稍微远一点儿就看不见。她的脸上满是皱纹，倒像个风干的橘子，哪里会露出笑容来呢！可是今年的稻子长得好，很壮实，雨水又不多，像是能丰收似的。所以稻草人替她高兴。想来到收割的那一天，她看见收的稻穗又大又饱满，这都是她自己的，总算没有白受累，脸上的皱纹一定会散开，露出安慰的满意的笑容吧。如果真有这一笑，在稻草人看来，那就比星星月亮的笑更可爱，更可珍贵，因为他爱他的主人。

稻草人正在想的时候，一只小蛾飞来，是灰褐色的小蛾。他立刻认出那小蛾是稻子的仇敌，也就是主人的仇敌。从他的职务想，从他对主人的感情想，都必须把那小蛾赶跑了才是。于是他手里的扇子摇动起来。可是扇子的风很有限，不能够叫小蛾害怕。那小蛾飞了一会儿，落在一片稻叶上，简直像不觉得稻草人在那里驱逐似的。稻草人见小蛾落下了，心里非常着急。可是他的身子跟树木一样，定在泥土里，想往前移动半步也做不到；扇子尽管扇动，那小蛾却依旧稳稳地歇着。他想到将来田里的情形，想到主人的眼泪和干瘪的脸，又想到主人的命运，心里就像刀割一样。但是那小蛾是歇定了，不管怎么赶，他就是不动。

星星结队归去，一切夜景都隐没的时候，那小蛾才飞走了。稻草人仔细看那片稻叶，果然，叶尖卷起来了，上面留着好些蛾子。这使稻草人感到无限的惊恐，心想祸事真个来了，越怕越躲不过。可怜的主人，她有的不过是两只模糊的眼睛，要告诉她，使她及早看见这个，才能挽救呢。他这么想着，扇子摇得更勤了。扇子常常碰在身体上，发出啪啪的声音。他不会叫喊，这是唯一的警告主人的法子了。

老妇人到田里来了。她弯着腰，看看田里的水正合适，不必再从河里车水进来；又看看她手种的稻子，全很壮实；摸摸稻穗，沉甸甸的。再看看稻草人，帽子依旧戴得很正，手里的扇子依旧拿着，摇动，发出啪啪的声音，并且依旧站得很好，直挺挺的，位置没有动，样子也跟以前一模一样。她看一切事情都很好，就走上了田岸，预备回家去搓草绳。

稻草人看见主人就要走了，急得不得了，连忙摇动扇子想靠这急迫的声音把主人留住。这声音里仿佛说："我的主人，你不要去呀！你不要以为田里的一切事情都很好，天大的祸事已经在田里留下种子了。一旦发作起来，就要不可收拾，那时候，你就要流干了眼泪，揉碎了心，趁着现在赶早扑灭，还来得及。这，就在这一棵上，你看这棵稻子的叶尖呀！"他靠着扇子的声音反复地表示这个警告的意思，可是老妇人哪里懂得，她一步一步地走远了。他急得要命，还在使劲摇动扇子，直到主人的背影都望不见了，他才知道这警告是无效了。

除稻草人以外，没有一个人为稻子发愁。他恨不得一下子跳过去，把那灾害的根苗扑灭了；又恨不得托风带个信叫主人快快来铲除灾害。他的身体本来是瘦弱的，现在怀着愁闷，更显得憔悴了，连站直的劲儿也不再有，只是斜着肩、弯着腰，成了个病人的样子。

不到几天，在稻田里，蛾子变成的肉虫到处都是了。夜深人静的时候，稻草人听见他们咬嚼稻叶的声音，也看见他们越吃越馋的嘴脸。渐渐地，一大片浓绿的稻全不见了，只剩下光杆儿。他痛心，不忍再看，想到主人今年的辛苦又只能换来眼泪和叹气，禁不住低头哭了。

这时候天气很凉了，又是在夜间的田野里，冷风吹得稻草人直打哆嗦；只因为他正在哭，没觉得。忽然传来一个女人的声音："我当是谁呢，原来是你。"他惊醒了一下，才觉得身上非常冷。但是有什么法子呢？他为了尽责任，而且行动不由自主，虽然冷，也只好站在那里。他看那个女人，原来是一个渔妇。田地的前面是一条河，那渔妇的船就停在河边，舱里露出一丝微弱的火光。她那时正在把撑起的渔罾放到河底，渔罾沉下去。她坐在岸上，等过一会儿把它拉起来。

舱里时常传出小孩子咳嗽的声音，又时常传出困乏的、细微的叫"妈"的声音。这使她很焦心，她用力拉罾，总像是不顺手，并且几乎回回是空的。舱里还是有声音，她就向舱里的病孩子说："你好好儿睡吧！等我得着鱼，明天给你煮粥吃。你总是叫我，叫得我心都乱了，怎么能得着鱼呢！"

孩子忍不住，还是喊："妈呀，把我渴坏了！给我点儿茶喝！"接着又是一阵咳嗽。

"这里哪来的茶！你老实一会儿吧，我的祖宗！"

"我渴死了！"孩子竟大声哭起来。在空旷的夜间的田野里，这哭声显得格外凄惨。

渔妇无可奈何，把拉罾的绳子放下，上了船，进了舱，拿起一个碗，从河里舀了一碗水，转身给病孩子喝。孩子一气把水喝下去，他实在渴极了。可是碗刚放下，就又咳嗽起来，并且像是更厉害了，后来就只剩下喘气。

渔妇不能多管孩子，又上岸去拉她的罾。好久好久，舱里没有声音了，她的罾也不知又空了几回，才得着一条鲫鱼，有七八寸长。这是头一次收获，她很小心地把鱼从罾里取出来，放在一个桶里，接着又把罾放下去。这个盛鱼的木桶就在稻草人的脚旁边。

这时候稻草人更加伤心了，他可怜那个病孩子，渴到那样，想一口茶喝都不成；病到那样，还不能跟母亲一起睡觉。他又可怜那个渔妇，在这寒冷的深夜里打算明天的粥，所以不得不硬着心肠把病孩子扔下不管。他恨不得自己去作柴，给孩子煮茶喝；恨不得自己去作褥，给孩子一些温暖；又恨不得夺下小肉虫的脏物，给渔妇煮粥吃。如果他能走，他一定立刻照着他的心愿做，但是不幸，他的身体跟树木一样，长在泥土里，连半步也不能动。他没有法子，越想越伤心，哭得更痛心了。忽然啪的一声，他吓了一跳，停住哭，看出了什么事情，原来是鲫鱼被扔在木桶里。

这木桶里的水很少，鲫鱼躺在桶底上，只有靠下的一面能够沾一些潮润。鲫鱼很难过，想逃开，就用力向上跳，跳了好几回，都被高高的桶框挡住，依旧掉在桶底上，身体摔得很疼。鲫鱼的向上的一只眼睛看见稻草人，就哀求说："我的朋友，你暂且放下手里的扇子，救救我吧！我离开我水里的家，就只有死了。好心的朋友，救救我吧！"

听见鲫鱼这样恳切的哀求，稻草人非常心酸，但是他只能用力摇动自己的头。他的意思是说："请你原谅我，我是个柔弱无能的人哪！我的心不但愿意救你，并且愿意救那个捕你的妇人和她的孩子，还有你、妇人、孩子以外的一切受苦受难的人。可是我跟树木一样，定在泥土里，连半步也不能自由移动，我怎么能照我的心愿做呢！请你原谅我，我是个柔弱无能的人哪！"

鲫鱼不懂稻草人的意思，只看见他连连摇头，愤怒就像火一般地烧起来了。“这又是什么难事！你竟没有一点人心，只是摇头！原来我错了，自己的困难，为什么求别人呢！我应该自己干，想法子，不成，也不过一死罢了，这又算什么！”鲫鱼大声喊着，又用力向上跳，这回用了十二分力，连尾巴和胸鳍的尖端都挺起来。

稻草人见鲫鱼误解了他的意思。又没有方法向鲫鱼说明，心里很悲痛，就一面叹气一面哭。过了一会儿，他抬头看看，渔妇睡着了，一只手还拿着拉罾的绳。这是因为她太累了，虽然想着明天的粥，也终于支持不住了。桶里的鲫鱼呢？跳跃的声音听不见了，尾巴像是还在断断续续地拨动。稻草人想，这一夜是许多痛心的事都凑在一块儿了，真是个悲哀的夜！可是看那些吃稻叶的小强盗，却高兴得很，吃饱了，正在光杆儿上跳舞呢。稻子的收成算完了，主人的力量又白费了。世界上还有比这更可怜的吗？

夜更暗了，连星星都显得无光。稻草人忽然觉得由侧面田岸上走来一个黑影，近了，仔细一看，原来是个女人，穿着肥大的短袄，头发很乱。她站住，望望停在河边的渔船，一转身，向着河岸走去，不多几步，又直挺挺地站在那里。稻草人觉得很奇怪，就留心看着她。

一种非常悲伤的声音从她的嘴里发出来，微弱，断断续续，只有听惯了夜间一切细小声音的稻草人才听得出。那声音是说：“我不是一头牛，也不是一口猪，怎么能让你随便卖给人家！我要跑，不能等着你明天真卖给人家。你有一点儿钱，不是赌两场输了就是喝几天黄汤花了。管什么！你为什么一定要逼我……只有死，除了死没路！死了，到地下找我的孩子去吧！”这些话又哪里成话呢，哭得抽抽搭搭地，声音都被搅乱了。

稻草人非常心惊，想这又是一件惨痛的事情让他遇见了。她要寻死呢！他着急，想救她，自己也不知道为什么。他又摇起扇子来，想叫醒那个睡得很沉的渔妇。但是办不到,那渔妇跟死的一样,一动也不动。他恨自己,不该像树木一样,定在泥土里,连半步也不能动。见死不救不是罪恶吗!自己就正在犯着这种罪恶。这真是比死还难受的痛苦哇!“天哪,快亮吧!农人们快起来吧!鸟儿快飞去报信吧!风快吹散她寻死的念头吧!”他这样默默地祈祷。可四周还是黑洞洞的,声音也没有一点点。他心碎了,怕看又不能不看,就胆怯地死盯着站在河边的黑影。

那女人沉默着站了一会儿,身子往前探了几探。稻草人知道可怕的时候到了,手里的扇子摇得更响。可是她并没跳,又直挺挺地站在那里。

又过了好大一会儿,她忽然举起胳膊,身体像倒下一样,向河里面跳去。稻草人看见这样,没等到听见她掉在水里的声音,就昏过去了。

第二天早晨,农人从河岸经过,发现河里有死尸。消息立刻传出去。近村的男男女女都跑来看。嘈杂的人声惊醒了酣睡的渔妇,她看那木桶里的鲫鱼,已经僵僵地死了。她提了木桶走回船舱,病孩醒了,脸显得更瘦了,咳嗽也更加厉害。那老农妇也随着大家到河边来看,走过自己的稻田,顺便看了一眼。没想到,几天工夫,稻叶稻穗都没有了,只留下直僵僵的光杆儿。她急得跺脚,捶胸,放声大哭。大家跑过来问,劝她,看见稻草人倒在田地中间。

导读

叶圣陶(1894—1988),原名叶绍钧,字圣陶,江苏苏州人,中国现代著名作家、教育家和语言大师,我国现代童话创作的奠基人。他的代表性作品都收在童话集《稻草人》(1923)和《古代英雄的石像》

(1931)里。叶圣陶的童话想象丰富，意境优美，寓意高远，童心可鉴，语言凝练，洋溢着鲜明浓郁的中国风格，堪称中国现代儿童文学史上的第一座丰碑。

短篇童话《稻草人》写于1922年。这篇拟人童话通过一个富有同情心而又无能为力的稻草人的眼睛，展现了20世纪20年代中国农村风雨飘摇的几幕人间悲剧。第一幕是稻草人的主人——一个可怜老太太的悲惨遭遇；第二幕是一个渔妇和她的孩子挣扎在死亡线上；第三幕是一个被逼得走投无路的女人投水自尽。这种种悲剧，令稻草人伤心叹息，他无能为力，只能暗自伤心，直到躺倒在田地中间。“三段式”结构层层递进地塑造出物性与人性完美结合的“稻草人”形象。稻草人的性格特征是善良而无力。作为农夫的工具，稻草人好比是农夫忠实的助手和朋友，具有一颗善良的心；但他是用竹竿插在田中的，自己不能移动，所以他对一切又都无能为力。物性与人性的完美统一还表现在心理描写与动作描写的和谐一致上。稻草人的外部动作，本身是物性，是无意识的机械运动。他的内在心理，则是人的属性，是有意识的活动，两者的融合，就使得物性转化为人性，人性通过物性得到了具体表现。稻草人形象的创作成功，标志着中国艺术童话的诞生，在中国童话发展中产生了巨大而深远的影响，从而奠定了叶圣陶在中国童话史及中国儿童文学史上的奠基人的地位。

【中国】张天翼

不动脑筋的故事

有一天开故事晚会，赵家林讲了一个怪没意思的故事。是这样开头的：

“有那么一个人，上课不用心听讲。做起功课来，自己懒得动脑筋，净想依赖别人……”

孩子们哄地笑起来。

“可不兴讽刺人！”有一个圆头圆脑的胖孩子大声说，满脸通红。“你说的是谁？他叫什么名字？”

赵家林愣了一会，才答上来：

“他姓赵，叫做——赵大化。行了吧？”

有几个孩子又笑着叽里咕噜了一阵。

那个胖孩子可还红着脸，噘着个嘴。

赵家林等大家渐渐地静了下来，就又往下说。

他说那个赵大化别的方面都还不坏：也肯替人服务，也有他的理想——想要将来做一个有用的人。可就是有这么个毛病：最怕伤脑筋。同学们帮助他做算术，跟他讲解了老半天，他只瞪着眼睛瞧着你。同学们问：

“懂了吧？这道题你自己想想看。”

自己想？——那还行？又得伤脑筋！

作起文来，同学们都快要交卷了，赵大化可还在舔笔头，对着题目发愣：

“‘我的家庭’——这个题目怎么做呀？‘我的家庭’……”

老师提醒他：

“这应当每个人都会做。你家里有些什么人？怎么样生活？过去的生活怎样，现在又怎样？这些你想一想。”

瞧，又是叫人“想一想”！真是！

赵大化老是怪别人对他帮助不够。他说要帮助，就是什么事都得替他想好、做好。他自己可从来不动脑筋。

这么着，越不动脑筋，脑筋就越不听使唤了，像生了锈开不动的机器一样。

这么着，赵大化就越来越迷糊了，迷糊到每天上学都要别人提醒他……

“什么！就这么迷糊！”那个圆头圆脑的胖孩子又插嘴，“他几岁了？”

“他几岁？——连他自己也闹不清，”赵家林回答，“得问他妹妹。”

真的，赵大化记不得自己的年龄。妈妈说是跟他说过，说他到了九月一号就满十四岁——可是这太复杂了，他不能伤这个脑筋。他叫妹妹：

“妹妹，你是个好孩子，你给我记住吧。”

“不动脑筋”——成了赵大化的外号。

有一个星期六晚上，妹妹在家里和她几个同学做化学游戏。什么游戏？——当然是伤脑筋的玩意儿，赵大化连听都不爱听。可是忽然——趁他不提防的时候——有半句话没头没尾地飘到了他耳朵里：

“只要半公分就够了……得称一称……”

“得称一称？”赵大化就决心要替人服务一下，跑了出去。“我去拿！”

好一会儿他才回来。听见他脚步踏得很重，走得挺吃力似的。

进门直喘气，满脑袋的汗。大家吃了一惊。一看，赵大化扛来了一杆称煤的大秤。

妹妹嚷了起来——妹妹就有这么个缺点：净爱嚷——

“瞧你！你也不想想这杆秤是干什么用的！”

“我才不伤这个脑筋呢，”赵大化嘟囔着，“反正我将来不当化学家。我将来——我搞渔业，哦。我就爱钓鱼。明天上午我就去钓。呃，妹妹，你是个好孩子，你给我记住点儿。”

说了就打个呵欠，没精打采地去睡觉。

他先铺好被窝，慢慢地脱衣服，又叨咕了几句，这才爬上床。

刚一躺下——

“哎哟，疼！”

“什么，什么？哪儿疼？”大家着了慌。

“脊背疼。哎哟，可疼得厉害呢！”

他胳膊一撑，坐了起来。觉得好了些。可是一躺下，就又发作，疼得他赶紧翻过身来趴着睡。一趴，又叫：

“哎哟，肚子疼！”

他连忙翻转身，左侧面躺着：这回可是腰部左边疼起来了。翻到右侧面躺着试试看呢？哎哟，不行，右腰疼！仰天——又还是脊背疼！

“快请医生！快请医生！”赵大化一面气急败坏地叫，一面爬下床来。他疼得不敢再躺下了。“这可是一个奇症！”

医生来了，仔细问了问情形。现在可哪里也不疼了。检查了体温和脉搏，听了心脏和肺，也看不出有什么毛病。

医生说：

“没有什么，好好儿睡去吧。”

去睡，可又是——仰着脊背疼，趴着肚子疼，侧着腰疼。一起来，就好了。

“这简直是童话里发生的事，”医生摇摇头，“你床上有点儿什么蹊跷吧，哎？”

这——赵大化可没研究过，他就怕伤这个脑筋。

可是妹妹马上跑去检查他的床铺。她把被窝一掀，就发现有一个乌黑的黑东西——大概有篮球球胆那么大——安然自在地盘踞在褥子上。

大家都吓了一跳：

“哟！这是什么？”

一看，是一个秤砣。

赵大化安安静静睡了一夜。早上醒来，也不知道是几点钟了，只听见妹妹和同院的孩子们在那里做广播操。赵大化就发了愣。

“那么我呢？我该做些什么呢？妹妹，妹妹！”他叫，“妹妹，你是个好孩子，你告诉我：我今天有什么计划没有？”

“你不是说要去钓鱼么？”

对，对！赵大化一翻身就爬起来，把衣服往身上一披，就赶紧穿上了长裤，下床来。他刚想要走去洗脸，忽然叭地摔了一跤。

他的两只脚似乎不是他自己的了。好容易才爬起来，刚一迈步——脚还没迈开呢，又吧嗒！一跤。

“哎呀可不好了！你们快来！”他一面用手扶着床沿撑起身来，一面叫，“我净摔跤！”

他坐下喘了一会儿气。现在倒也不觉着怎么样。他试着站起来。也没有什么。可是脚不能动，——只要稍微动一动，整个身子就像旋得没了劲儿的陀螺似的，那么晃几晃，就又往地下一趴。

“快请医生！这回可真是个奇症！简直不让我迈腿！”

妈妈赶紧从间壁屋里说着走了过来：

“看看腿吧。怎么回事?”

看腿,赵大化可伤心透了。他这才发现:他少了一条腿!

“啊呀没了!”赵大化哭了起来,“右腿没了!”

“怎么右腿没了?”妹妹也着了急。

“这个问题我可没想过,谁知道它跑哪儿去了?妹妹,你是个好孩子,还是你给我想一想吧。”

妹妹把他的腿一检查,就嚷:

“瞧你!你裤子是怎么穿的呀?”

原来赵大化的两条腿——左腿也好,右腿也好,全都给塞在一条裤腿儿里了,连右腿也躲在左裤腿儿里了。

半小时以后,赵大化去钓鱼。带着一根钓竿和一只桶,高高兴兴走到了一个池子边。他把钓竿往地下一搁,先提着桶下去打水——预备盛鱼。

他满满地舀了一桶水,提上岸来往地面上一放,那么一弯腰,就惊异得了不得,忍不住叫了起来:

“咦,一根钓竿!”

仔细看了看:这一根钓竿还挺不错的呢。

“是谁丢下的?”赵大化四面瞧瞧,“谁的?谁的?”

没人答应。赵大化把钓竿举起来扬了几下,又大声问了几声。还是没有人答应。他可有点不满意了:

“是谁那么粗心大意,落下东西都不知道!”

转过身去再向那一边问问看吧……

他刚转过身去把腿一迈,就绊着那个水桶,连人带桶滚到了地下。

他爬起来一瞧,可生气得了不得:

“是哪个糊涂蛋!——把一桶水搁在这儿!”

瞧！害得他衣服裤子都水淋淋的，还沾上满身的泥！

“我将来一定去做公共卫生工作，”赵大化一面嘟囔，一面甩着两只空手回家去。“谁也不许把人家身上弄脏，哦，把人家衣服沾上水，那也不行，那可太不卫生……”

他的家在路北。平常从西口拐进胡同，走个这么一百来步，靠左边一扇门，就是他的家——准没错。今天他可是打东口进的胡同。他照旧往前走上一百来步，去敲左边一扇门，敲得很急。

“妹妹快开门，快！妹妹！”

这家路南的人家住着一位老奶奶，头发全白了。这时候她正给她一个小孙女儿讲故事呢，听见大门响，“谁呀？”就走去开了门。

赵大化抬头一看，不觉倒退了一步。

“哎呀妹妹！怎么！……”他吃惊得说不出话来，“我出去了才多大一会儿呀，你就长得这么老了？”

他的家正好在斜对面。他妹妹在院子里洗书包，仿佛听到赵大化的嚷声，她赶紧就跑出来，看是怎么回事。她瞧见赵大化正指手画脚地跟那位老奶奶交涉，他硬要进那家屋子里去换衣裳。

妹妹忍不住地嚷了起来：

“瞧你这迷糊劲儿！连自己的家都认不得了！”

赵大化住了嘴，转过脸来瞧瞧他妹妹，搔了搔头皮：

“这是哪家的小姑娘？可真奇怪！我跟我妹妹说话，干你什么事呀？你那么嚷！”

赵家林讲故事就讲到这里为止。那个圆头圆脑的胖孩子提出他的意见来：

“越讲越不成话了，真没意思！”

“那有什么办法！”赵家林说，“一个人脑筋动得越少，不成话的事儿就越多。”

“我可不信!”那个胖孩子把头一掉,“人哪能变成那样儿! 这不过是个童话……”

他知道大家都在笑着看他。他红着脸,谁也不瞧,低下头去专心削起铅笔来——其实笔头还是尖尖的。等到散了会,他一把拽住小队长,轻轻地问:

“你说,你说,人真能变成赵大化那样儿么?”

导读

张天翼(1906—1985),祖籍湖南湘乡,生于南京,我国现代著名作家、儿童文学家。其代表性作品有小说《华威先生》(1932)、长篇童话《大林和小林》(1932)、《秃秃大王》(1933)、《金鸭帝国》(1942,未完)、《宝葫芦的秘密》(1957),短篇童话《不动脑筋的故事》(1953),儿童小说《罗文应的故事》(1952),剧本《大灰狼》(1953)等,1975 年以后,由于患脑血栓症瘫痪而停止了创作,但仍积极为儿童文学事业呼吁,为孩子们呼吁。1985 年因病在北京逝世。

张天翼曾自述他的儿童文学创作:“努力办到这两件事.或者说是两个标准:一、要让孩子们看了能够得到一些益处……二、要让孩子们爱看,看得进,能够领会。”《不动脑筋的故事》正是体现了这一创作思想的优秀之作。童话的主人公赵大化,是一个不爱动脑筋的孩子,因为他不爱动脑筋,所以他的脑筋就越来越不听使唤,他也就越来越糊涂了,结果闹出了一个接一个笑话。很明显,张天翼在这篇童话里,是要批评一部分孩子那种不动脑筋的坏习惯,而且这种批评的方式是采用故事晚会上讲故事的形式,运用夸张了的漫画式手法来表现的,很容易为孩子们所接受。但写赵大化这个人物时,又不是简单化地夸张其性格中可笑的一面,同时也写了性格中憨厚可爱的一面。儿童性格十分鲜明。在语言方面,更是熟练自如地运用儿童的口语,简约而传神,给儿童读者以一种亲切感与“发现自我”的情感满足,并从中受到深刻的启迪,树立起正确的是非标准。

【中国】严文井

小溪流的歌

小溪流有一首歌，是永远唱不完的。

一条快活的小溪流哼哼唱唱，不分日夜地向前奔流。山谷里总是不断响着他歌唱的回声。太阳出来了，太阳向着他微笑。月亮出来了，月亮也向着他微笑。在他清亮的眼睛里，世界上所有的东西都像他自己一样新鲜、快乐。他不断向他所遇到的东西打招呼，对他们说："你好，你好！"

小溪流一边奔流，一边玩耍。他一会儿拍拍岸边五颜六色的石卵，一会儿摸摸沙地上才伸出脑袋来的小草。他一会儿让那些漂浮着的小树叶打个转儿，一会儿挠挠那些追赶他的小蝌蚪的痒痒。小树叶不害怕，轻轻转了两个圈儿，就又往前漂。小蝌蚪可有些怕痒，就赶快向岸边游；长了小腿的蝌蚪还学青蛙妈妈慌张地蹬开了腿。

小溪流笑着往前跑。有巨大的石块拦住他的去路，他就轻轻跳跃两下，一股劲儿冲了下去。什么也阻止不了他的奔流。他用清亮的嗓子歌唱，山谷里不断响着的回声也是清脆的，叫人听了就会忘记疲劳和忧愁。

小溪流在狭长的山谷里奔流了很久，后来来到了一个拐弯的地方。那里有一截枯树桩，还有一小片枯黄的草。枯树桩年纪很大，枯黄的草也不年轻。他们天天守在一起，就是发牢骚。他们觉得什么都不合适，什么都没有意思。后来连牢骚也没有新的了，剩下来的只有叹气。他们看着活泼愉快的小溪流奔流过来，觉得很奇怪，就问他：

"喂，小溪流！这么高兴，到哪儿去呀？"

小溪流回答：

“到前面去，自然是到前面去呀。”

枯树桩叹口气说：

“唉，唉！忙什么呀，歇会儿吧！”

枯黄的草也叹口气说：

“唉，唉！累坏了可不是玩儿的，就在这儿待下来吧，这儿虽然不太好，可也还不错。”

小溪流看看他们笑了笑：

“为什么呀？就不！不能够停留！”

一转眼小溪流就把他们丢在后面了，他又不住地往前奔流。前面出现了村庄。村庄里有水磨等着他去转动。

小溪流就这样不知疲倦地奔流，奔流，渐渐又有些旁的小溪流来同他会合在一起，小溪流就长大了。

于是，由小溪流长成的一条小河，沙声地歌唱着，不分早晚地向前奔流。他精神旺盛，精力饱满，向着两边广阔的原野欢呼。他翻腾起水底沉淀的泥沙，卷起漂浮的枯树枝，激烈地打着回旋。他兴致勃勃地推送着木排，托起沉重的木船向前航行。什么也阻止不住他的前进。前面有石滩阻碍他，他就大声吼叫着冲过去。小河就这样奔流，不断向前奔流。

有一只孤独的乌鸦懒懒地跟着他飞行了一阵。乌鸦看见小河总是这样活跃，这样匆忙，觉得很奇怪，就忍不住问：

“喂，小河！这么忙，到哪儿去呀？”

小河回答：

“到前面去呀。”

乌鸦往下飞，贴近了他，恐吓他说：

“嘿，别高兴！还是考虑考虑吧，前面没有好玩意儿。”

小河没忘记自己原来是小溪流，他笑了一笑：

“为什么？才不听你的咧！就不能停留！”

乌鸦生了气，一下说不出话来，就只叫：

“呀！呀！呀！”

小河很快就把乌鸦丢在后面，又不住地往前奔流。前面出现了水闸，等着他去推动发电机。小河高高兴兴地做了一切他该做的工作。再前面又出现了城市。

小河不知疲倦地奔流，奔流，就这样先先后后又有些旁的小河同他汇集在一起，小河就长大了。

于是，一条大江低声吟唱着，不分时刻地向前奔流。他变得十分强壮，积蓄了巨大无比的精力。他眺望着远远隐在白云里的山峰，以洪亮而低沉的胸音向他们打招呼。他不费力就掀起一阵阵汹涌的波涛，他沉着地举起庞大的轮船，帮助他们迅速航行。他负担着许多，可是他不感觉什么负担。大江就这样奔流，不断向前奔流。

那些被波浪卷起，跟随大江行进的泥沙却感到累了，问：

“喂，大江！老这么跑，到底要往什么地方去呀？”

大江回答：

“还要到前面去呀。”

疲乏得喘不过气的泥沙愤愤地说：

“‘前面’，‘前面’！哪有那么多‘前面’！已经走得差不多了，还是歇口气吧！”

大江的记性很好，他没有忘记自己原来是小溪流，轻轻地笑了笑：

“为什么？不行！不能停留！”

泥沙带着怨恨，偷偷地沉下去了，可是大江还是不住地奔流。许多天就好像一天，许多月就好像一个月，他经过了无数繁荣的城市和无数富足的乡村，为人们做了无数事情，终于最后来到了海口。

大江还是不知道疲倦是怎么一回事，他奔流着，奔流着，永远向着前方。

于是，无边无际的蓝色海洋在欢乐地动荡着。海洋翻腾起白色的泡沫，强烈地向着四方欢唱。他是这样复杂，又是这样单纯；是这样猛烈，又是这样柔和。他一秒钟也不停止自己的运动。

在海底，一只爬满了贝壳的、朽烂和只剩一层发锈的铁壳的沉船，他早已不耐烦海洋这无休无止的晃动了，悄悄地问：

“可以休息了吧，可以休息了吧？”

海洋记得住一切，他以和小溪流同样清亮的嗓子回答：

“休息？为什么？那可不成！”

他的无穷尽的波浪就这样一起一伏，没有头，也没有尾。月亮出来了，月亮向着他微笑。太阳出来了，太阳也向着他微笑。海洋感觉到整个世界，所有的东西都好像近在他的身边。海洋更加激起了自己的热情。他不断涌起来，向上，向前，向着四面八方。无数圆溜溜的小水珠就跳跃起来，离开了他，一边舞蹈，一边飞向纯洁的蓝空。

巨大的海洋唱着小小溪流的歌：

“永远不休息，永远不休息！”

小溪流的歌就是这样无尽无止，他的歌是永远唱不完的。

导读

严文井（1915—2005），原名严文锦，湖北武昌（今武汉市武昌区）人，我国当代著名儿童文学作家。1941年出版第一部童话集《南南和胡子伯伯》，此后又出版了《丁丁的一次奇怪的旅行》（1949）、《蚯蚓和蜜蜂的故事》（1950）、《三只骄傲的小猫》（1954）、《唐小西在“下次开船”港》(1957)等中短篇童话。1959 年又出版童话集《小溪流的歌》，获全国少儿文艺创作荣誉奖。

《小溪流的歌》是严文井童话的代表作之一，洋溢着浓郁的诗情画意，抒情性与象征性得到了完美的统一。童话主人公是一条富有生命力的天真活泼、乐观向上、永远前进的小溪流。在风景如画的山谷里，有这样一条小溪流：它不愿受狭小环境的限制，而是向往着广阔的天地。小溪流唱着“永远不休息”的歌，每天欢快地向前奔流。巨石的阻拦、枯树桩的劝说、乌鸦的威胁、泥沙的怨恨，都不能阻止小溪流勇敢地、不知疲倦地向前奔流、奔流，不息地奔流。渐渐地，小溪流长成了一条小河，又汇聚成一条大江，一直奔向了无边无际的蓝色的大海。巨大的海洋唱着小小的溪流的歌：“永远不休息，永远不休息！”这是一首永远唱不完的歌。充满活力而不倦追求的小溪流，象征着一种永远进取、决不退却的人生境界。严文井在 1978 年 3 月写的《小溪流的歌》“作者附记”中有一段话，对我们理解这篇童话的小溪流形象很有帮助。作者写道：“我不过用比喻的手法描写了在社会主义中国的幸福的孩子们的某些侧面，歌颂了他们天天向上的进取精神。”又说：“小溪流就有这样一种精神，他一秒钟也不肯停留在原地方。坚持前进，终于变成了小河、大江、大海。大海、大江、小河可以说是各个阶段成长起来的溪流，他们虽然变大了，但都保留了小溪流的本色。他们活泼愉快，不停地运动，进行着无穷无尽的变化，一会儿也不肯休息。他们都唱着小溪流的歌。这首歌的主调就是：“前进！永远前进！”

【中国】金近

小猫钓鱼

猫妈妈有两个孩子，大的叫妙妙，是姐姐，小的叫咪咪，是弟弟。

猫弟弟咪咪是爱睡懒觉的，猫妈妈和猫姐姐妙妙早就起来啦，他还钻在被窝里睡着，不肯起来。猫妈妈打开窗子，太阳光就笑着跑进来，把屋子里照得金光透亮。猫妈妈回过头来，对着猫弟弟的小床叫道：

“咪咪，时候不早啦，快起来吧。”

猫弟弟伸个懒腰坐起来。他赶快洗了个脸，就跟妈妈姐姐吃早饭了。

这是个春天的早晨，天气很好，各色各样花儿的香味，从田地里，从山坡上，一阵一阵地飘进屋子里来，真香啊。猫妈妈说：

“我们到小河边去钓鱼吧，你们快把钓鱼竿拿来。”他们都扛着一根钓鱼竿，到小河边钓鱼去了。

小河里的水碧清，几只鸭子在游来游去找东西吃。他们看见猫妈妈带着两个孩子来钓鱼，就让开了，向别处游去。

猫妈妈帮着猫姐姐猫弟弟装上鱼食，把钓竿放到小河里，叫他们静静地等着，不能说话，也不能跑开。猫姐姐跟着妈妈站在老地方不动，猫弟弟拿着钓竿站了一会儿，看看没有鱼游过来，他就换个地方，等了一会儿，又换了个地方。这个时候，猫妈妈钓到一条小鱼了，猫姐姐也钓到一条小鱼了，就是猫弟弟没有钓到鱼。

猫弟弟等着鱼儿游过来，他决定不再换地方了。他看着看着，有个红蜻蜓飞来了，恰好停在他的钓竿的头上。他把钓竿轻轻地抽回来，想捉住这个红蜻蜓，碰巧有一条小鱼正在吃鱼食，他的钓竿一动，小鱼吓跑了，那个红蜻蜓也飞开啦。猫弟弟想想真有点可惜，要是不捉那个红蜻蜓，那条小鱼就钓到了。这回子他坐在草地上，要好好钓鱼了。

一对蝴蝶从山坡上飞过来，就在一丛紫云英花旁边飞着转圈子。猫弟弟看看这对蝴蝶真美，金黄的颜色，多漂亮啊！猫弟弟放下钓竿，悄悄地跑去捉蝴蝶了。蝴蝶飞到哪里，他追到哪里，越跑越远，他一直跑到山坡那边去啦。

小河旁有只大青蛙，他看得很清楚，看到猫弟弟不好好钓鱼，很生气。他想："让我来想个办法，叫猫弟弟自己想想也害臊。"大青蛙扑通一声跳进小河里，在河底里找到一只烂草鞋，轻轻地挂在猫弟弟的钓钩上。

猫妈妈看到猫弟弟跑得老远，就喊他："咪咪，你上哪儿去啦？快来钓鱼。"

猫弟弟跑回来了，看到妈妈和姐姐钓起好多条鱼。这时候，猫姐姐又钓起一条大鱼来。猫妈妈说：

"你看，妙妙又钓到一条大鱼啦，你呢？"

"我也能钓到一条大鱼。"猫弟弟说着去看自己的钓竿。哈！钓竿上的线都沉到水底里去啦。他赶快拿起钓竿，觉得挺重的，就大喊起来：

"一条大鱼！一条大鱼！"

可是提起钓竿来一看，原来是只烂草鞋。猫弟弟狠狠地把烂草鞋又扔进小河里，低着头不说话了，他多害臊啊。

大青蛙在小河对岸咯咯地大笑，他说：

"小猫小猫，你真糟糕，钓不到鱼，想想害臊……"大青蛙还想说些什么，猫弟弟气得冒火了，捡起一颗小石子扔过去，大青蛙扑通一声又跳进小河里了。

时候不早啦，该回家吃午饭啦。猫妈妈叫他们收起钓竿回家，猫姐姐提着一大串鱼，猫弟弟连一条小鱼也没钓到，又给大青蛙笑话，他心里可真不高兴。

吃饭的时候，猫弟弟想多吃点鱼，猫姐姐说：

“你钓鱼不好好钓，吃鱼倒想吃得多。”

猫弟弟噘起嘴巴，快要哭出来了。猫妈妈说：

“咪咪，你吃吧，以后要好好钓鱼，不要光爱玩儿。”

这一顿饭吃得真香，鱼的味道鲜极啦。猫姐姐钓起来的那条大鱼，晒鱼干啦，鱼干也很香很好吃的。可是猫弟弟钓的鱼在哪儿呢？啊，一条小鱼也没有。猫妈妈和猫姐姐都去睡午觉了，猫弟弟不想睡，他跑到院子里去看那条大鱼干，他心里想：“妈妈、姐姐都钓到鱼啦，我没有钓到，不钓鱼哪有鱼吃呢？我要钓一条这样大的大鱼。”

猫弟弟拿起钓竿，独自跑到小河边钓鱼去了。

猫弟弟钓着钓着，小鱼大鱼都没有来吃鱼食，还是没有钓到鱼。他想回家去，想想又不好，没有钓到鱼，怎么能回去呢？

有一只大白鹅游过来了，对猫弟弟说：

“小猫，小猫，你真是一只好小猫，现在还要来钓鱼，你钓到鱼没有？”

猫弟弟摇摇头，不说话。

“那你一定能钓到鱼的，说不定能钓到一条大鱼。”大白鹅说着，往前游去了。

猫弟弟站在老地方，看住钓竿，一步也没有走开。过了没有好多工夫，嗨！钓竿上的线全都往下沉啦，钓竿也动起来啦，猫弟弟赶快将钓竿往上拉，怎么也拉不动，钓竿都弯了，一定是条大鱼，他力气小，拖不起来，急得不得了。忽然后面有谁在叫他：

“弟弟，你别钓鱼啦，妈妈叫你回去。”

猫弟弟喘着气说：

“姐姐，你快来帮帮忙，我钓到一条大鱼啦！”

猫姐姐帮着猫弟弟把一条大鱼拖起来，大鱼啪啪地拍打着尾巴，躺在地上，一下子又蹦起八尺高，猫弟弟赶快跑过去捉住。他提不动，猫姐姐就帮他抬起来。他们抬着这条大鱼，跑回家去了。

猫弟弟真的钓到一条大鱼啦。

导读

金近（1915—1989），浙江上虞人，著名儿童文学家。金近从1936年开始创作童话，代表作有童话集《红鬼脸壳》《顽皮的轮子》《春风吹来的童话》。《小猫钓鱼》《鲤鱼跳龙门》《狐狸打猎人》等是他的童话名篇，其中《小猫钓鱼》是小学语文教材的传统篇目。作者抓住低幼儿童好奇好动、兴趣不稳定的心理特点来结构故事，运用拟人化的手法，塑造了两个十分可爱、性格十分突出的幼儿形象，并通过小猫妙妙和小猫咪咪的对比以及小猫咪咪前后的转变，让孩子们悟出生活的道理：干任何事情都应该专心致志，三心二意终将一事无成。

【中国】洪汛涛

神笔马良

听人家说，从前，有个孩子名叫马良。父亲母亲早就死了，靠他自己打柴、割草过日子。他从小喜欢学画，可是，他连一支笔也没有啊！

一天，他走过一个学馆门口，看见学馆里的教师，拿着一支笔，正在画画。他不自觉地走了进去，对教师说：

“我很想学画，借给我一支笔可以吗？”

教师瞪了他一眼，“呸！”一口唾沫啐在他脸上，骂道：“穷娃子想拿笔，还想学画？做梦啦！”说完，就将他撵出大门来。

马良是个有志气的孩子，他说：

“偏不相信，怎么穷孩子连画也不能学了！”

从此，他下决心学画，每天用心苦练。他到山上打柴时，就折一根树枝，在沙地上学着描飞鸟。他到河边割草时，就用草根蘸蘸河水，在岸石上学着描游鱼。晚上，回到家里，拿了一块木炭，在窑洞的壁上，又把白天描过的东西，一件一件再画一遍。没有笔，他照样学画画。

一年一年地过去，马良学画从没有一天间断过。他的窑洞四壁，画上叠画，麻麻花花全是画了。当然，进步也很快，真是画起的鸟就差不会叫了，画起的鱼就差不会游了。一回，他在村口画了只小母鸡，村口的上空就成天有老鹰打转。一回，他在山后画了只黑毛狼，吓得牛羊不敢在山后吃草。但是马良还没有一支笔啊！他想，自己能有一支笔该多么好呢！

有一个晚上，马良躺在窑洞里，因为他整天地干活、学画，已经很疲倦，一躺下来，就迷迷糊糊地睡着了。

不知道什么时候，窑洞里亮起了一道五彩的光芒，来了个白胡子的老人，把一支笔送给他：

“这是一支神笔，要好好用它！”

马良接过来一看，那笔金光灿灿的；拿在手上，沉甸甸的。他喜得蹦起来：

“谢谢你，老爷爷……”

马良的话还没有说完，白胡子老人已经不见了。

马良一惊，就醒过来。揉揉眼睛，原来是个梦呢！可又不是梦啊！那支笔不是很好地在自己的手里吗！

他十分高兴，就奔了出来，挨家挨户去敲门，把伙伴都叫醒，告诉他们：“我有支笔啦！”这时才半夜哩！

他用笔画了一只鸟，鸟扑扑翅膀，飞到天上去，对他喊喊喳喳地唱起歌来。他用笔画了一条鱼，鱼弯弯尾巴，游进水里去，对他一摇一摆地跳起舞来。他乐极了，说：

“这神笔，多好呀！”

马良有了这支神笔，天天替村里的穷人画画：谁家没有犁耙，他就给他画犁耙；谁家没有耕牛，他就给他画耕牛；谁家没有水车，他就给他画水车；谁家没有石磨，他就给他画石磨。天下没有不透风的墙，消息很快地传进了邻近村里一个大财主的耳朵。这财主就派两个家丁来把他抓走，逼他画画。

马良年纪虽小，却生来是个硬性子。他看透有钱人的坏心肠，任凭财主怎样哄他、吓他，要他画个金元宝，他就是不肯画。财主就把他关在一间马厩里，也不给他饭吃。

傍晚，雪纷纷扬扬地落着，地上已经积起了厚厚一层。财主想，马良这一下不是饿死，也准冻死了。他走过马厩门口，只见门缝里透出红红的亮光，还闻到一股香喷喷的味道。他觉得奇怪。凑近眼去，往门缝里一张，啊！马良不但没有死，而且烧起了一个大火炉，一面烤着火，一面吃着热烘烘的饼子呢！财主知道，这火炉和饼子，一定是马良用神笔画的，就气呼呼地去叫家丁来，要他们把马良杀死，夺下那支神笔。

十多个凶猛的家丁，冲进了马厩，却不见马良。只见东面墙壁上，靠着一架梯子。马良趁着天黑，攀上这梯子，翻墙走了。财主急忙攀上梯子去追，没爬上三步，就摔下来了。原来，这梯子是马良用神笔画的。

马良出了财主的家，他知道在村里是不能住了，他向自己的村庄挥了挥手，默默地说了一句：

“伙伴们，再见啦！”

马良用神笔画了一匹大骏马，跳上马背，向大路上奔走。

没有走出多少路，只听见后面一阵喧哗，回头一看，火把照得通明，财主骑着匹快马，手执一把明晃晃的钢刀，带着一二十个家丁，追上来了。

眼看就要追着了，马良不慌不忙，用神笔画了一张弓，一支箭。箭一上弦，“飕”的一声，正射中财主的咽喉，财主翻身跌下马去了。马良拍拍大骏马，大骏马像飞一样地向前驰去了。

马良连日带夜地在路上跑了几天，到了一个市镇里，看看离家乡已经很远，就在这儿住下来。他画了许多画，拿到街坊去卖。因为他怕别人知道，便不让画活起来，画成的东西，不是少嘴便是断腿的。

一天，他画了一只没有眼睛的白鹤。一不小心，在它脸上溅上一滴墨水，白鹤便眼睛一睁，扇扇翅膀飞上天去了。

这一来，整个市镇都轰动了。当地的官员，马上把这件事奏给了皇帝。皇帝就下了一道圣旨，派人来召他到京都去。马良不肯去。

他们把他拉去了。

马良听见过许多皇帝欺侮穷人的事，心里恨透了。哪肯给皇帝画画呢！皇帝叫他画一条龙，他却画了一只大壁虎；皇帝叫他画一只凤，他却画了一只大乌鸦。大壁虎和大乌鸦十分难看，在金銮殿里乱爬乱叫，还打起架来，弄得宫殿里乌七八糟。皇帝大为发怒，就命卫士们抢下他的神笔，把他打入了天牢。

皇帝拿到神笔，就自己来画了。他先画一座金山。贪心不足的皇帝，画了一座又一座，画了一座又一座，重重叠叠地画了许多。画好一看，哪是金山！却是一堆堆的大石头；上面压得太多，就塌下来，差一些把皇帝的脚也打伤了。

皇帝还不死心。他心里想，画金山不成，就换金砖。他画了一块嫌小，画了一块嫌小，最后画了长长的一大条。画好一看，哪是金砖！却是一条长长的大蟒蛇，张开血盆似的大口，向他扑来。幸亏卫士们救得快，不然，皇帝早被大蟒蛇吃掉了。

皇帝没有办法，只得把马良放出来，又假惺惺地对他说了一些好话，说什么要给他许多许多金银，还说什么要把公主嫁给他，让他做驸马。

马良一心想夺回神笔，他装作答应下来。皇帝见马良答应了，十分高兴，就把神笔还给了马良，要马良给他画画。

皇帝想，画金山、金砖都不成，那么画株摇钱树吧！摇钱树上，长的都是钱，轻轻一摇，就能掉下许多钱来，这有多好啊！他就叫马良画摇钱树了。

马良心里打定了主意，不说什么话，提起神笔一挥，一个无边的大海出现在眼前了。蓝蓝的海水，没有一丝波纹，亮闪闪的像一面大玉镜。

皇帝看了很不高兴，脸一板，骂道：

“叫你画摇钱树，谁叫你画海！”

马良在大海中央画了块小岛，岛上画了株又高又大的树，说：“这不是摇钱树吗？”

皇帝看见那株树，发着耀眼的金色光芒，喉咙里咽了几口唾水，就嘻嘻地笑了起来，急巴巴地对马良说：

“赶快画只船吧！我要到海中央去摇钱！”

马良画了两只很大很大的木船，皇帝就带了娘娘、太子、公主和许多大臣、将军，都上船去了。

马良又画几笔风，海水掀起密密的波纹，大木船就开动了。

皇帝心里痒滋滋的，嫌船走得太慢，在船头上叫：

“风大些！风大些！……”

马良就加了几笔粗粗的风。海动荡起来了，白帆鼓得满满的，木船急速地向海中央驶去。

马良又加上几笔大风。大海不安地吼叫起来，卷起滚滚的浪涛，大木船摇摇晃晃了。

皇帝心里害怕，向马良摇手，大声地喊道：

“风够了！风够了！……”

马良装作没有听见，不歇手地画着风。海水发怒了，浪涛扑上船去了。船倾斜了，船上乱起来了。

皇帝被海水打得浑身湿漉漉的，抱着船的桅杆，不住地叫喊：

“风太大了！船要翻了！不要再画了！……”

马良不去睬他，还是不住手地画风。风更大了，吹来了许多厚厚的乌云，又鸣雷，又闪电，还下起暴雨来。浪更猛了，海水像一堵堵倒坍的高墙，接连不断地往船上压去。

船翻了，船碎了，皇帝他们都沉到海底去了。

皇帝死了以后，《神笔马良》的故事就传开来了。但是，马良后来到什么地方去了呢，大家都不清楚。

有的说：他回到自己的家乡，和那些种地的伙伴在一起。

有的说：他到处流浪，专门给许多穷苦的人们画画。

导读

洪汛涛（1928—2001），浙江浦江人，我国当代著名儿童文学作家。其主要成就在童话方面，代表作品有《神笔马良》《狼毫笔的来历》《半半的半个童话》等，理论著作有《童话学》《童话艺术思考》等。

《神笔马良》发表于1954年，曾多次被选入小学语文课本。作品塑造了一个勤奋、好学、机智、勇敢、善良、正义的传奇少年马良的形象。马良从小爱画画，平日勤学苦练，有一天，他梦见自己得到一支神笔，用这支神笔画什么都立刻会变成真的，事实上他也得到了真正的神笔，于是他就天天替穷人作画，帮他们解决实际困难。后来这事被财主和皇帝知道了，他们就把马良抓去，逼他为他们画画。马良不畏权贵，将手中的神笔作武器，终于掌握了自己的命运。神笔只有在马良手里才有神奇的功能，表达了只有劳动人民才是财富与奇迹的创造者的思想。而马良爱憎分明的情感与惩恶扬善的情操也正是我们中华民族美德的真实写照。《神笔马良》是在民间故事的基础上进行再创作的，广泛的民间性、故事性在作者童话理想的照耀下，有了合理的补充和发挥，使得形象更为传神，主题更为深刻，具有较强的时代气息与不朽的艺术魅力，被誉为“具备民族风格又很受儿童欢迎的优秀作品”。主人公马良不仅在中国家喻户晓，也已成为世界儿童文学形象画廊中的典型人物。

《神笔马良》曾获第二次全国少儿文艺创作评奖一等奖。据此改编并拍摄的儿童电影（木偶片）《神笔》曾获文化部1949—1955年优秀影片编剧，一等金质奖章，在国际上获1956年威尼斯第八届国际儿童节儿童文艺影片一等奖，1956年南斯拉夫第一届国际儿童电影节优秀儿童电影奖等5项奖。

【中国】孙幼军

小猪当保镖

一、为了妈妈的荣誉，小猪答应当保镖

这一天，猪太太和邻居马太太，还有毛驴太太，坐在一起闲聊天儿。马太太和毛驴太太使劲夸自己的孩子，把自己的下巴都讲长了。猪太太忍不住，也夸起自己的那一群孩子："哇，真了不起，一顿饭，他们把七百二十八个馒头，还有十大锅米粥，吃了个精光！"

毛驴太太一听，哈哈哈地大笑起来："吃得多，算什么本事呀！"

马太太说："就是嘛！"

猪太太有些不好意思地红着脸说："其实也不光是吃得多。我的孩子里，也有又聪明，力气又大的……"

她就把她家的小十二，也就是稀里呼噜，怎么吓跑了大狼先生，怎么开枪打走月牙熊，呱啦呱啦地讲了一通。

过了三天，鸭太太一大早就找上门来。她有五百个鸭蛋，想送到镇上她丈夫的鲜蛋公司去。可是路很远，还有强盗，她想请稀里呼噜当保镖。

上回的五百个鸭蛋，是她自己送的，结果半路上遇到强盗，鸭蛋连同小车子一起给抢走了。不过鸭太太没对猪太太讲，怕她听了害怕，不让稀里呼噜给她护送。

猪太太还是说："哎哟，那可不成！我们稀里呼噜还小，真碰上强盗怎么办？"

鸭太太一撇嘴："马太太跟我讲的时候，我就说你乱夸儿子，都是瞎吹牛嘛！"

稀里呼噜在一旁说：

“我去！”

他可不喜欢别人说他的妈妈瞎吹牛。

二、很和气的驴先生让小猪为他推了半天磨

稀里呼噜跟着鸭太太到她家去。看看地上的一大堆鸭蛋，小猪说：“这东西没有耳朵，也没有尾巴，圆滚滚的不好拿。你们家有箩筐吗？”

鸭太太翻翻眼睛说：“要是有箩筐，我找保镖的干什么！”

保镖的还管借箩筐呀？可是小猪什么都没说，立刻去找箩筐。

他跑到驴先生家去借。驴先生虽然有时会“啊！啊！啊！”地大叫起来，吓人一跳，可是人很和气。果真，驴先生一听要借箩筐，马上说：“啊，都是老街坊了，没问题，没问题！”

驴先生让小猪替他推磨，他去找箩筐。

稀里呼噜用力推起大磨来。

小猪推了一圈儿，驴先生不回来，他推了两圈儿，驴先生不回来。后来他推了一百圈儿，累得满头大汗，呼呼喘气，驴先生还是连影子都没有。小猪看看太阳已经从东边移到头顶上了，心里很感动。他自言自语地说：“驴先生真好！一定是他家里没箩筐，他到山上去砍竹子了，要给我编两只新的……”

到了下午，驴先生才提着两个破箩筐走来。

驴先生说：“啊！啊！啊！这个娃娃真能干，把麦子都磨完啦！怪不得你妈妈老夸你。干这么多活儿，我本应该留你吃午饭的，可是看样子你很着急，那你就快回家吧！”

小猪拿着箩筐，回家去吃午饭，吃过饭立刻赶到鸭太太那里。鸭太太很生气：“我真倒霉，怎么找了这么一个笨蛋保镖！借两只箩筐

就跑了大半天儿！扁担呢？你看，又忘了借扁担！”

三、为了借扁担，小猪又给牛先生担一大缸水

小猪听了鸭太太的话，回头就跑，他到牛先生家去借扁担。牛先生说：

“对不起，扁担我等会儿挑水还要用。要不，这么着吧，你替我把水缸挑满，再拿走扁担。”

小猪很高兴。他没想到，牛先生的水缸里连一滴水也没有，那口水缸还好大好大，小猪要搬了梯子，才能把水桶提上去。

等到他把大水缸装满水，天都黑了。小猪拿着扁担跑到鸭太太家去，告诉鸭太太，明天一早就出发。鸭太太就大发脾气：

“呀！呀！呀！早知道这样，我就自己送了！我的先生开的是鲜蛋公司，可不是臭蛋公司！你要是真像你妈妈说的那么勇敢，今天晚上就出发！”

稀里呼噜觉得很对不起鸭太太，他说：

“好吧，我现在就出发！”

他把五百个鸭蛋分装在两个箩筐里，挑起担子就出发了。

小猪干得很起劲儿。可是走出村子以后，他忽然害怕起来。没有月亮，野外非常黑，天空中倒是有几颗星星，但都是绿色的，像大老虎的眼睛，使劲盯着他。

“真黑呀！”小猪心里想，“还有什么东西沙沙响，是不是强盗正跟在我后头？”

他又想：“要是妈妈跟我一起走，我就不会这么害怕了。我跟妈妈一边走一边说话，多么好……

稀里呼噜是一只聪明的小猪，他一下子就想出个好办法：对啦，我就学妈妈的声音，让妈妈跟我说话嘛！

他立刻就模仿妈妈的口气说：

“我说小呼噜，你路上可一定要当心呀！”

接着，他自己回答妈妈：

“妈妈你就放心吧！我连大狼和月牙熊都不怕，还怕别人？”

“哎哟孩子啊，你可别这么说！去镇子的路上，有只大老虎。他可不比狼和熊，可凶啦！他要是忽然扑上来，你可千万丢下东西就跑！要不，他抢了东西，还要连你一起吞下去！”

四、这天夜里，大老虎真的出来劫路了

小猪学着妈妈说话，忽然觉得路旁的树林里响起树枝的声音，“克吧，克吧吧……”很轻，可是让人的脖子发凉，汗毛直竖。

“不行，”小猪心里好害怕，“不能装成妈妈跟我说话。妈妈胆子小，光会吓唬人，越跟她说话越害怕。我还是跟爸爸说话吧……”

大老虎这天夜里还真出来了。他就躲在路旁的树林里，手里举着大棒子。他听见远处有人走过来，就竖起两只耳朵听。原来这是个小娃跟他妈妈说话，还讲到他。看样子这两个特别怕他。

他心里想：“啊哈——好生意来啦！等他们走近，我就跳出去，每人给他们一闷棍！”

稀里呼噜刚要学爸爸说话，又一想：“爸爸也不如大狼厉害。大狼有一支枪，一放，‘砰’好响！大狼谁都不怕，我还是跟大狼说话吧！”

他又大声说起来：

“我说稀里糊涂，你走快点儿行不行？”

“错啦，大狼先生！我不叫‘稀里糊涂’，是‘稀里呼噜’。这是因为我吃东西很响：稀里呼噜、稀里呼噜！”

“对不起，稀里呼噜先生。我想，那么吃东西一定特别香。”

"对了,我爸爸就是这么说的,这才给我取这个名儿。"

"不过,吃东西那么响,好像不太文明。我们狼吃东西,尽量不发出声音来。"

大老虎知道狼先生有一支枪,是从猎人那里抢来的,那东西很厉害。他心里想:"真倒霉,怎么那个娃娃和他妈妈还带着大狼先生?不知道那个家伙带着枪没有……"

大老虎小心地从树林里探出头去看。

天太黑,看得不太清楚。他先看见三个黑影子,一个大的,两个小的。大的是小猪,小的当然是两个箩筐。可是大老虎当成大狼和两只猪了。他再仔细看:"哎呀不妙,狼先生的肩上还扛着一支枪呢!——他把扁担当成枪了!"

大老虎又听见狼先生说:

"稀里呼噜先生,咱们还是快点儿去吧!我想快点儿找着大老虎。那家伙总是拿个大棒子,躲在树林里,把人家打昏,抢人家东西。这回我要看看,到底是他的棒子厉害,还是我的枪厉害!"

大老虎一听,心就"咚咚咚"地跳起来。

"大狼先生,你真打得过大老虎吗?"

"那还用说!你瞧着:他一出来,我就照着他屁股,'砰'一枪。一下子就把他屁股打个大窟窿!"

"他要是不出来呢?"

"他不出来,我进树林里找他去。今天非把他屁股打个大洞不可!"

大老虎吓坏了,他转身就往树林里头钻,"扑通,扑通""哗啦、哗啦",没命地逃走了。

小猪听见树林里一阵乱响,也吓得要死。原来树林里真藏着强盗!他照妈妈教给他的办法,丢下担子,一头钻进路旁的深草里。

五、小猪的劳动得到报酬，挑了一担子大香蕉回家

大老虎早跑回家去了。小猪等了好半天，谁也没来。他从深草里爬出来，对自己说：

“一定是刮了一阵大风，刮得树林‘哗啦哗啦’响。你自己吓唬自己，这很不好！”

稀里呼噜挑起担子，继续往前走。

天亮的时候，他到了镇上。

镇上好热闹！

他向黄狗先生打听路，找到鲜蛋公司。

鸭先生比鸭太太和气得多。他听说鸭太太让稀里呼噜半夜里赶路，觉得过意不去，马上给小猪端来早餐。小猪早就饿了，“稀里呼噜、稀里呼噜”吃起来。他想吃得别太响，可是没有办到。

吃过饭，小猪就回家了。鸭先生买了许多大香蕉，给他装在两只空箩筐里，还夸他保镖当得好，说了好多“谢谢”。

这天晚上，猪先生一家都吃香蕉。大家都说：

“大香蕉真好吃！小稀里呼噜真了不起！”

导读

孙幼军(1933—2015)，原籍哈尔滨市，现为北京外交学院教授，我国享有国际声誉的童话作家，1990年成为我国第一位国际安徒生奖的候选人，并获得了该项大奖的优秀奖。在孙幼军百余万字的作品中，绝大部分是童话，其中代表性作品有长篇童话《小布头奇遇记》、中篇童话《神奇的房子》、系列童话《怪老头儿》、短篇童话《小贝流浪记》和《小狗和小房子》、低幼童话《萤火虫找朋友》和《小猪当保

镖》等。除创作童话作品外，孙幼军还有200万字的文学译著，代表性译作是日本中篇童话《不不园》等。

低幼童话《小猪当保镖》是孙幼军新时期以来最具代表性的作品之一。在这篇极具情趣的童话里，小猪的形象十分可爱，他有自尊心与荣誉感，纯朴善良、机智勇敢，是个典型的幼儿形象。小猪从出于无奈而去当保镖，到最终成为一名了不起的小英雄，其间经历了许多喜剧性的场面，这就奠定了作品欢快的基调。简洁传神的语言，单纯曲折的情节，尤其是对小猪心理出神入化的描摹，十分符合低幼儿童的欣赏口味。

【中国】金波

我也是胡子爷爷

不知为什么，那一天，我很不快乐。

我走在一片茂密幽深的树林里，迎来了晴朗的早晨。

因为不快乐，林中的野花没引起我的兴趣，连那一蓬洁白肥大的蘑菇，我也懒得去采。

我只管低着头漫无目的地走着。

忽然，一只小鸟飞在我的面前。他扇动着翅膀，定定地悬在半空中和我说着话：

"您就像我们的胡子爷爷！"

我停下脚步，那只小鸟也落在枝头，继续跟我说着话：

"可惜胡子爷爷再也不能来了。"

小鸟很伤心的样子，他好像就要哭了。

我很关切地问他：

"胡子爷爷是谁？"

"是一个好爷爷，也像你那样有好多好多胡子。"

小鸟越说越高兴，又继续告诉我：

"胡子爷爷说过，等他的胡子越长越多，越长越大，等他的胡子变成绿色的，他就让我们到他的胡子里搭窝。"

我一听，兴致就来了，我开始快乐起来，我跟着说：

"那多有意思呀！在绿胡子里搭窝，一定又暖和、又安全，是不？"

"那当然，可惜……"他的声音一下子变得低沉了，"胡子爷爷永远地到另外一个世界去了。"

我不愿让小鸟太伤心，便引开话题，问他：

“你住在哪儿呀?”

“我们有一所小鸟学校。怎么,你都不知道我们的小鸟学校?”

我只好抱歉地点点头。

“我们的小鸟学校,就在这树林的深处。”小鸟继续说,“那里有一棵最大最老的槐树,那就是我们的小鸟学校啊!”

我越听越感兴趣,便问他:

“你们学校都上什么课呀?都是谁来教你们呀?”

“功课么,其实就一门,就是学人说话。谁教?当然是胡子爷爷啦!”

“你们学得怎么样?”我好奇地问。

“还可以吧,我今天能和你对上话,不就是胡子爷爷教的么,你听着还可以吧?”

“真不错。可以毕业了。”我想夸夸他。

“不,胡子爷爷说,还差得远哩,他还要教我们唱戏,还要教我们写诗。可惜……”说着,他又伤心了。

我为了安慰他,赶紧接上去说:

“领我去参观一下你们的小鸟学校,好吗?”

他很高兴,立刻飞在前面给我引路。

我跟着小鸟走路,脚步轻松多了。我一边走,还一边哼起了小调。

小鸟又扇动着翅膀,定定地停在我面前,跟我说:

“我看,你也可以当我们的老师。你刚才唱得挺好听。再说,你长得也很像我们的胡子爷爷。胡子虽然短了点儿,那不要紧,能长长的。”

飞了一段路,他又定定地悬在半空中,不放心地问:

“那你的胡子能变绿吗?”

对这个问题，我连想都没想过，我只能告诉他“不知道”。

说着说着，我们已来到那棵大槐树跟前了。

这可真是一所小鸟学校，树上落满了各种颜色的鸟儿，就像满树盛开着五颜六色的花朵，所不同的是这些花朵会飞，又会叫。

小鸟们见我来了，不知怎的，一齐欢呼起来：

“胡子爷爷又回来了！欢迎，欢迎！”

我一下怔住了。我知道，一定是小鸟们错把我当成真的胡子爷爷了。

我正不知道怎么办才好，那只引路的小鸟悄悄地跟我说：

“快点头，快点头，你就是胡子爷爷了。”

我也来不及细想，就赶紧按他的要求去做，我一边点头，一边说：

“对，对，我就是胡子爷爷，我又回来了！”

小鸟们高兴得又叫又跳，那样大槐树也跟着轻轻地摇动着枝条。

我被他们的热情深深地感动了，于是我大声地说：

“我要教你们唱戏，还要教你们写诗。”

小鸟们一听，又是一阵欢呼。那只引路的小鸟也跟着欢呼起来。

我更激动了，又接着说：

“我要让我的胡子长得长长的。要让我的胡子变成绿色的。让你们到我的胡子里搭窝。我要带你们去旅行。”

这时候，有许多小鸟飞上我的肩头，用翅膀抚摸我的胡子。

我也情不自禁地捋着自己的胡子，真奇怪，这么一会儿的工夫，我的胡子长得很长很长了。

我还希望，我的胡子能真的变成绿色的。

不知为什么，那一天，我很快乐……

导读

金波（1935—　），河北翼县人，我国当代著名儿童文学作家、诗人，主要诗集有《回声》（1963）、《林中的鸟声》（1979）、《会飞的花朵》（1980）、《我的雪人》（1982）、《雨铃铛》（1986）、《林中月夜》（1991）等。由于对儿童文学有突出贡献，1992 年，金波被我国提名为国际安徒生奖的候选人。作者借“我”在林中与小鸟的奇遇为幻想载体，通过人与鸟的对话，提出了人与动物、人与大自然的和谐相处、共同发展的深刻主题。诗人的气质，使这篇饱含童趣的童话作品洋溢着浓浓诗意，为读者营造了一个优美、奇妙、令人心驰神往的童话境界。作者曾自述：“写完这篇童话，我还在幻想：我要是真能变成胡子爷爷该多好！我带着小鸟去旅行，一定还会遇到不少新奇的事情……啊，明天我就到树林里去，小鸟会告诉我许多故事。不信，你也试试。”亲爱的读者朋友，你信吗？你不妨也去试试。

【中国】彭文席

小马过河

马棚里住着一匹老马和一匹小马。

有一天，老马对小马说：“你已经长大了，能帮妈妈做点事吗？”小马连蹦带跳地说：“怎么不能？我很愿意帮您做事。”小马高兴地说：“那好啊，你把这半口袋麦子驮到磨坊去吧。”

小马驮起口袋，飞快地往磨坊跑去。跑着跑着，一条小河挡住了去路，河水哗哗地流着。小马为难了，心想：我能不能过去呢？如果妈妈在身边，问问她该怎么办，那多好啊！可是离家很远了。他向四周望望，看见一头老牛在河边吃草。小马“嗒嗒嗒”跑过去，问道：“牛伯伯，请您告诉我，这条河，我能蹚过去吗？”老牛说：“水很浅，刚没小腿，能蹚过去。”

小马听了老牛的话，立刻跑到河边，准备蹚过去。突然从树上跳下一只松鼠，拦住他大叫：“小马！别过河，别过河，河水会淹死你的！”小马吃惊地问：“水很深吗？”松鼠认真地说：“当然啦！昨天，我的一个伙伴就是掉在这条河里淹死的！”小马连忙收住脚步，不知道怎么办才好。他叹了口气说：“唉！还是回家问问妈妈吧！”

小马甩甩尾巴，跑回家去。妈妈问：“怎么回来啦？”小马难为情地说：“有一条河挡住了，过……过不去。”妈妈说：“那条河不是很浅吗？”小马说：“是呀！牛伯伯也这么说。可是松鼠说河水很深，还淹死过他的伙伴呢。”妈妈说：“那么到底是深还是浅呢？你仔细地想过他们的话吗？”小马低下了头，说：“没……没想过。”妈妈亲切地对小马说：“孩子，光听别人说，自己不动脑筋，不去试试，是不行的。你去试一试，就会明白了。”

小马跑到河边，刚刚抬起前蹄，松鼠又大叫起来："怎么，你不要命啦！"小马说："让我试试吧。"他一面回答，一面下了河，小心地蹚了过去。原来河水既不像老牛说的那样浅，也不像松鼠说的那样深。

导读

彭文席(1925—2009)，浙江瑞安人，中学教师，主要作品有童话《小马过河》，寓言《云》《罂粟花》等。《小马过河》是一篇生动有趣又富有哲理的低幼童话，在第二届全国少儿文艺创作评奖中获一等奖。作品成功地塑造了小马和老马两个感人的艺术形象。小马幼稚、无知但自信、好问，是一个活灵活现的幼儿形象。老马不仅像所有母亲一样爱孩子，了解孩子，而且教子有方，是一个相当完美的母亲形象。小河的深浅在不同动物那里有不同的说法，小马向妈妈请教，妈妈没有直接告诉他答案，而是鼓励他"去试一试"，从而让小马通过自己的亲身实践得出河水深浅的概念，并从中明白了一个道理：做任何事情，"光听别人说，自己不动脑筋，不去试试，是不行的"。《小马过河》不仅是我国小学语文教材的传统篇目，还被译成十多种文字，在国外广泛流传。

【中国】方惠珍　盛璐德

小蝌蚪找妈妈

暖和的春天来了。池塘里的冰融化了。柳树上长出了绿色的叶子。

青蛙妈妈在泥洞里睡了一个冬天，也醒来了。她从泥洞里慢慢地爬出来，伸了伸腿，“扑通”一声，跳进池塘里，在碧绿的水草上，生下了许多黑黑的、圆圆的卵。

春风吹着，阳光照着，池塘里的水越来越暖和了，青蛙妈妈生下的卵，慢慢地活动起来，变成一群大脑袋、长尾巴的小蝌蚪。

小蝌蚪在水里游来游去，非常快乐。

有一天，鸭妈妈带着小鸭子到池塘里游水。小鸭子跟在妈妈后面，“嘎嘎嘎”叫着。小蝌蚪看见了，就想起了自己的妈妈。

他们你问我，我问你：“我们的妈妈在哪里呢？”可是谁也不知道。

他们一齐游到鸭妈妈身边，问：

“鸭妈妈，鸭妈妈，您看见过我们的妈妈吗？请告诉我们，她在哪里？”

鸭妈妈亲热地回答说：“看见过。你们的妈妈有两只大眼睛，嘴巴又阔又大。好孩子，你们到前面去找吧！”

“谢谢您，鸭妈妈！”小蝌蚪高高兴兴地向前面游去。

一条大金鱼游过来了，小蝌蚪看见大金鱼头顶上有两只大眼睛，嘴巴又阔又大。他们想，一定是妈妈来了，就追上去喊：“妈妈！妈妈！”

大金鱼笑着说：“我不是你们的妈妈。我是小金鱼的妈妈。你们的妈妈肚皮是白的，好孩子，你们去找吧！”

“谢谢您！金鱼妈妈！”小蝌蚪又向前面游去。

一只大螃蟹从对面游了过来。小蝌蚪看见螃蟹的肚皮是白的，就迎上去大声叫：“妈妈！妈妈！”

螃蟹摆着两只大钳子，笑着说：“我不是你们的妈妈。你们的妈妈只有四条腿，你们看我有几条腿呀？”

小蝌蚪一数，螃蟹有八条腿，就不意思地说：“对不起呀，我们认错了。”

一只大乌龟在水里慢慢地游着，后面跟着一只小乌龟。小蝌蚪游到大乌龟跟前，仔细数着大乌龟的腿：

“一条，两条，三条，四条。四条腿！四条腿！这回可找到妈妈啦！”

小乌龟一听，急忙爬到大乌龟的背上，昂着头说：“你们认错啦，她是我的妈妈。”

大乌龟笑着说：“你们的妈妈穿着好看的绿衣裳，唱起歌来‘呱呱呱’，走起路来一蹦一跳。好孩子，快去找她吧！”

“谢谢您，乌龟妈妈。”小蝌蚪再向前面游过去。

小蝌蚪游呀游呀，游到池塘边，看见一只青蛙，坐在圆圆的荷叶上“呱呱呱”地唱歌。

小蝌蚪游过去，小声地问：“请问您，您看见我们的妈妈吗？她有两只大眼睛，嘴巴又阔又大，两条腿走起路来一跳一蹦的，白白的肚皮，绿衣裳，唱起歌来呱呱呱……”

青蛙没等小蝌蚪说完，就“呱呱呱”大笑起来。她说：“傻孩子，我就是你们的妈妈呀，我已经找你们好久啦！”

小蝌蚪听了，一齐摇摇尾巴说：“奇怪！奇怪！为什么我们长得跟您不一样呢？”

青蛙笑着说：“你们还小呢。过几天，你们会长出两条后腿来；再过几天，又会长出两条前腿。四条腿长齐了，脱掉尾巴，换上绿衣裳，就跟妈妈一样了。那时候，你们就可以跳到岸上去捉虫吃啦。”

小蝌蚪听了，高兴得在水里翻起跟头来：“呵！我们找到妈妈了！我们找到妈妈了！”

青蛙“扑通”一声跳进水里，带着小蝌蚪一块儿游玩去了。

后来小蝌蚪长大了，变成了小青蛙。小青蛙常常跳到岸上捉虫吃，还快活地唱着：“呱呱呱，呱呱呱，我们长大啦！我们长大啦，我们会捉虫，捉尽了害虫，保护庄稼。”

导读

方惠珍(1915—1975)，女，江苏昆山人，1931 年毕业于苏州师范，长期从事幼儿教育工作。她在“文革”中饱受折磨，于 1975 年不幸去世。盛璐德(1912—1985)，女，上海人，1933 年毕业于苏州景海女子师范学校，后来一直从事幼儿教育工作。她们合写的低幼童话《小蝌蚪找妈妈》，获第二届全国少儿文艺创作评奖一等奖。

写于 20 世纪 50 年代的《小蝌蚪找妈妈》是一篇成功的科学童话。它以找妈妈为主要线索(把青蛙的幼虫——小蝌蚪写成一个充满稚气的小孩子，让他自己去找妈妈——青蛙)，巧妙地运用“误会法”，塑造了一批和蔼可亲、乐于助人的动物形象，有在水里划来划去的鸭子、嘴巴又阔又大的大鱼，有四条腿的大乌龟、白肚皮的大螃蟹，他们和“青蛙妈妈”有点相像，但又不是小蝌蚪的妈妈。故事情节在小蝌蚪一次次的误会中发展，不仅生动地介绍了青蛙的外形特征、成长过程，还教育孩子看问题不能片面，不要以局部代替全部。该作品于 1962 年拍成水墨动画片，在国际影坛获得很高评价。

【中国】金逸铭

宇宙鲸鱼

星期天,丽容忽然被一阵奇异的歌声唤醒,她睁眼一看,咦,窗外怎么黑蒙蒙的?难道天还没亮?一看钟,乖乖,7点41分啦。"出了什么事?天掉下来了么?"

丽容跑到阳台上,只见路灯亮着,家家户户的灯都亮着,隔壁窗台上挤满了惊讶的脑袋。"怎么,我们被关进特大的密封罐头里了,就像五香凤尾鱼一样。"

果真,天上没有一丝阳光,而奇异、悠长的歌声,正从黑蒙蒙的天上飘来。

此时,所有的电话、电报,都在紧张地联络着:"喂喂,北京……喂喂,上海……纽约……"不一会儿,广播电台播出了一个震惊世界的消息:

地球被一条从银河游来的宇宙鲸鱼吞食了。专家们认为,这是一种巨大的、鲸鱼形的宇宙生物,它体内有比较充足的氧气和水分,但没有阳光。联合国总部调动了一支特种部队,向宇宙鲸鱼开战。

丽容甩了甩美丽的长发,嘟哝道:"开战,为什么要向宇宙鲸鱼开战呢……"她"啪"的一下打开电视机。

电视里正在转播这场奇特的战斗场面。荧幕上,无数的战斗机呼啸而起,向宇宙鲸鱼的肚皮发射了密集的炮弹,宇宙鲸鱼似乎毫不在意,仍然哼着歌。

丽容冲电视机扬了扬小拳头:"哎,炮弹顶什么用,还不如放一串小鞭炮呢。"

电视屏幕上,升起了一座座雄伟的导弹发射架。"唰,唰,唰……”一枚枚导弹喷着火焰，直射黑色的高空。这会儿宇宙鲸鱼闹起了肚子疼，它噎住歌声，打了个滚。

“啊，地震，强地震……”整个地球像是足球似的蹦跳起来，全世界发出同一声惊叫。不过，宇宙鲸鱼立即恢复了平静，漫空里又响彻了它那美妙深远的歌声。

丽容脸儿通红，生气地嚷嚷：“不能再用武力，得想另外的法子……”

蓦地，丽容屏息静气地聆听起来，哦，宇宙鲸鱼，跟海里鲸鱼一样，也是音乐爱好者。你听，它唱得多好，简直是个妙不可言的太空歌手。

丽容双眼发亮，一把抓起电话听筒：“喂喂，联合国么……”

联合国总部采纳了丽容的建议，立即组成了一支宏大的多国儿童合唱队，齐声唱起了《和平之歌》。

孩子们的歌声未落，地球便抖了三抖，忽地变得一片光明。人们重见了蓝天、白云和阳光。原来，宇宙鲸鱼又一口把地球吐了出来。

空中，一条蓝色的、鲸鱼形的庞然大物，正向遥远的银河游去。它不时掉转巨大的脑袋，用月亮般的大眼睛望望地球上的孩子们，似乎含着歉意和难为情。丽容朝它挥挥手。

导读

金逸铭（1955— ），上海人，儿童文学作家，童话家，代表作品有诗歌《字典公公家里的争吵》，童话《大树的泪》（1981），童话集《恐龙丑八怪》（1988）等。《宇宙鲸鱼》是《恐龙丑八怪》中的名篇，作者以简洁凝练的笔墨，借助奇异的幻想，刻画了丽容这一体现着当代儿童宽广胸怀和仁爱精神的童话人物形象，揭示了和平胜于战争这一深刻主题，全篇富有浓厚的抒情性。作者没有着意去写什么惊心动魄的宇宙大战的恢宏场面，因为战争并不是解决问题的最佳途径，而是让联合国总部采纳丽容的建议，让全世界儿童的《和平之歌》感染吞噬地球的宇宙鲸鱼。结尾处鲸鱼与孩子们的依依惜别，意味深远，表达了热爱和平是全宇宙生灵的共同愿望。

【中国】汤素兰

笨狼是谁

狼妈妈生了一个小宝宝。给小宝宝取个什么名字好呢？狼妈妈和狼爸爸怎么也想不出来。恰巧狼外婆来看小宝宝，外婆说："哎呀，笨呢，狼家的孩子嘛，当然叫狼！"狼爸爸觉得狼外婆那一声："笨呢——狼……"很好听，当即就决定为小宝宝取名："笨呢——狼……"狼妈妈说："这名字好听是好听，不过叫起来老像是在唱歌，还不如干脆就叫'笨狼'，又响亮又别致。"狼爸爸说："考虑到小宝宝是你生下来的，还是你的功劳最大，这名字就由你说了算，我没有意见！"狼外婆也说："考虑到狼妈妈是狼外婆的女儿，这名字由狼外婆的女儿说了算，就等于由狼外婆说了算，既然是我自己说了算，我对我自己更没有意见。"就这样，世界上有了一只名叫笨狼的狼。

笨狼的爸爸和妈妈出门旅行去了，他们喜欢过浪漫的生活。他们问笨狼愿不愿一块儿去，笨狼问："外面有山吗？"

"有。"爸爸妈妈回答。

笨狼又问外面的山上有树没有，树上有鸟没有，树下有草地没有，草地上有小溪没有，小溪里有天空的影子没有。

都回答：有。

笨狼皱起了眉头："那不跟这儿一样吗？还到外面去干什么！"

爸爸听了，觉得笨狼说得有道理，差点放弃了出门的打算，要不是妈妈吵得那么凶："不去，我的旅游鞋不就白买了吗？你不去，我去了就一辈子不回来了。"

妈妈气呼呼地一个人买上机票，带上行李，穿上旅游鞋，走了。她的旅游鞋可真没白买。

这一下把爸爸急坏了。他怕妈妈真的不回来,就赶紧出门去追妈妈。可怜的爸爸,他走得太急了,连鞋带都忘了系,结果,刚跨出第一步就摔了一跟头,把腿给摔断了,不得不在医院呆上三星期。

笨狼把爸爸送进医院。笨狼直着嗓子喊:“摔了一跤,摔伤了,快来呀!”

满大楼的医生都听见了。医生还以为是笨狼摔了一跤呢。他们放下手中的活儿,全往笨狼这儿跑。

矮矮胖胖的青蛙大夫问:“怎么摔的?”

笨狼说:“踩着自己的鞋带摔的。”

“摔了哪?”

“我不知道,得问我爸爸。”

青蛙大夫鼓起大眼睛:“乱弹琴!你自己不知道,你爸爸又怎么知道?”

笨狼鼓起小眼睛:“我爸爸当然知道,我当然不知道!”

医生们这才明白,原来是狼爸爸摔了一跤。狼爸爸一声不吭坐在医院门口。因为他的腿断了,上不了台阶。青蛙大夫蹦过去问他:“摔了哪条腿?”

“右腿。”

青蛙大夫检查狼爸爸的右腿:“感觉怎么样?痛吗?”

狼爸爸什么也不说。青蛙大夫问得烦了,吼起来:“喂,我问你的感觉呢!”

狼爸爸也吼起来:“我不管什么感觉不感觉的,我只管要治好我的腿!”

爸爸的腿还没好利索,就拄着拐棍追妈妈去了。留下一座白色的小木屋,和屋前那高高的大枫树,矮矮的苹果树,长圆叶子、结红果子的小树陪着笨狼。

一个人的日子孤零零不好过，爸爸走后的头一天，笨狼就发现自己不见了，吓得他的狼心差点从嘴里跳出来。

事情是这样的：

以前，每天早上，总是爸爸妈妈喊："笨狼，起床洗脸！""笨狼，吃早点！"笨狼就响亮地答应一声，起床、洗脸、吃早点。

这天早上，笨狼照样起床、洗脸、吃早点。但是，他觉得有些地方不对头。

哪儿不对头呢？笨狼想呀想呀，忽然，他张大嘴巴：

"笨狼不见了！"

他想喊，但没有喊出来，因为就在他张大嘴巴的时候，一块面包趁机滚了下去，噎住了笨狼的喉咙。

笨狼虽然使劲把面包咽下去了，但讨厌的嗝却一声接一声，响得不得了。

嗝声传得那么远，把住在远处的聪明兔吵醒了，聪明兔是笨狼的好朋友，他想：糟了，笨狼出什么事情了！

聪明兔赶来，把笨狼送到青蛙大夫那儿。

青蛙大夫给笨狼一杯水，让他分三口喝下，又在他的背上拍了三下，马上就把他的嗝治好了。

笨狼向青蛙大夫鞠个躬，说了声："谢谢青蛙大夫！"又慌慌张张地朝家里跑。

聪明兔紧紧跟着他。

打开衣柜找找，没有，爬上阁楼找找，没有。

床底下没有，窗子上也没有。

笨狼还在找呀找。

聪明兔看到笨狼忙得满头大汗，他很想帮帮忙，就忍不住问道："笨狼，你找什么？"

“我找笨狼呀！”笨狼说，接着，他一拍脑门，对聪明兔说：“你刚才说什么来着？再说一遍！”

聪明兔就重复了一遍刚才提出的问题。

“哎，我在这儿呢”！笨狼响亮地答应一声，眉开眼笑，“我把自己找到了！”

聪明兔弄明白了是怎么一回事，就给笨狼做了一块小牌子，挂在胸前，上面写着“笨狼”两个字。还送给他一块小镜子，挂在墙上，让他每天早上起床以后，对着镜子照一照。

“只要镜子里有一个笨狼，你就还好好地住在你的小木屋里，没弄丢。”聪明兔说。

“那，我怎么知道我的小木屋没有弄丢呢？”笨狼不放心地说。

聪明兔就在笨狼的小木屋上钉上一块小牌子，写上“笨狼寓”三个字。

好了，现在，你知道笨狼是谁了吧。而且，只要他在森林里一露面，你第一眼就能认出他来，是不是？

把家弄丢了

一个下雨天，笨狼趴在小木屋的窗台上，出神地看着檐下的水沟。檐水点点，滴在水沟里，“卟”的一声轻响，就变成圆圆的水泡了。

这时，一个流浪汉来到了笨狼跟前。他是一只饿得精瘦，又被雨水淋得透湿的老鼠。他哆嗦着嘴唇，可怜巴巴地说：“让我进屋暖暖身子，行吗？”

老鼠的胡子很长，笨狼看着他的长胡子，猜测：“你起码有100岁了吧？”

“是呀是呀。”老鼠听笨狼这么说，便躬起背，使劲儿咳嗽两声。

笨狼让老鼠进了小木屋，给他吃了牛奶和面包，还让他睡在软软的小床上暖身子。

雨停了。太阳露出笑脸，照得门前的树叶闪闪发亮。

老鼠在床上躺得舒舒服服的，再也不想走了。他把牛奶和面包搬到床上，吱嘎吱嘎吃开了。

笨狼生气了，他说："牛奶、面包是我的！"

老鼠说："又没写你的名字，你怎么知道是你的？要真是你的，你喊它一声，看它答不答应你？"

笨狼真的大声喊："牛奶！牛奶！面包！面包！"

牛奶和面包静静地散发着香味儿，不搭理笨狼。

笨狼咽了一口口水，抓抓头皮，忽然变得聪明起来。他问老鼠："面包和牛奶上也没写你的名字，怎么知道是你的呢？"

"牛奶和面包都在我的手里，不是我的还会是谁的呢？"老鼠答道，"你要不信，我叫它们一声，它们就会答一声。"

老鼠叫一声"面包！"面包"吱嘎"答应一声，塞满了老鼠的嘴巴。

老鼠叫一声"牛奶！"牛奶"咕咚"答应一声，滚进了老鼠的喉咙。

笨狼没办法，只得跟老鼠借了一小片面包和半杯牛奶，并且答应第二天还他一整只面包和满满一大杯牛奶。

天黑了，笨狼想上床睡觉，他对老鼠说："你快走吧，我要睡觉了。"

"这床是我的。"老鼠说。

"不对，床是我的。"笨狼说。

"写着你的名字吗？"老鼠问。

笨狼围着床仔细看了三遍，没有找到"笨狼"两个字。当然，他也没找着老鼠两个字。笨狼就说："也没有你的名字呀！"

"现在睡在床上的是笨狼还是老鼠呀？"

"是老鼠。"

“老鼠睡的床当然是老鼠的啰！我是一只已经100岁了的老鼠，我说的话肯定错不了。”老鼠说。

笨狼想了想，觉得老鼠说得有道理，就趴在地板上，呼呼地睡了。

第二天早上，笨狼只出门散了一小会儿步，就把自己的家给弄丢了。

还是那棵高高的大枫树，还是那座白色的小木屋，只是挂在墙上的小木牌和木牌上的“笨狼寓”三个蓝色的大字不见了。

笨狼小心地敲敲门，门“吱呀”一声开了，老鼠从门缝里探出尖尖的嘴和长长的白胡子。

“这是笨狼的家吗？”

“不是，这是老鼠的家。”老鼠一边回答，一边将一块木牌挂到墙上：“你看看这上面的字——老鼠寓。”

笨狼仔细地看了又看，还伸出一根指头，跟着上面的字，一笔一画地写了一遍——没错儿，是老鼠寓！

笨狼礼貌地说：“对不起！”掉头跑进森林，急急忙忙去找自己的家。

在林子里转一圈，又回到小木屋前，高高的大枫树，矮矮的小木屋，都没错儿，可是，墙上的牌子却写着“老鼠寓”。

这儿是老鼠的家，这大枫树和小木屋都是老鼠的，笨狼得去找自己的大枫树和小木屋。

笨狼在森林里转了20圈。每次都差点儿就要找到自己的家了，可是一停住脚步抬起头来，眼前还是“老鼠寓”三个字。

笨狼伤心极了。他坐在大枫树下发呆。

“笨狼，你在这儿干什么？怎么不回家？”聪明兔蹦蹦跳跳地过来，关心地问。

“我把家给弄丢了。”笨狼哭着说。

聪明兔指着小木屋:“那不是你的家吗?”

“那是老鼠的家。老鼠已经100岁了,一定是我还没出生的时候,他就住在那儿了。”

聪明兔看见墙上的木牌和木牌上的字,便什么都明白了。“你等着,我帮你把家找回来。”聪明兔说。

聪明兔叫来猫法官,“咚咚咚”,一起敲响了小木屋的门。

老鼠正躺在床上,大口大口地吃着牛奶和面包呢。听见敲门声,他神气地问:“谁在敲门?”

“猫法官。”

老鼠吓得一个跟头掉到了床底下。他定定神,“吱溜吱溜”跳上窗台,想从那儿逃走。

“哪里逃!”猫法官一伸手,就把老鼠抓住了。

“你霸占笨狼的房子,本法官判你6年监禁。”

“法官大人,你可不能这么做,你知道,一只老鼠的寿命一般只有3年,我可不能坐两辈子牢哇!”

“你不是已经100岁了吗?”笨狼睁大眼睛,惊奇地问。

猫法官把老鼠带走了。聪明兔对笨狼说:“好了,你可以回家了。”

但是,笨狼不肯走进小木屋,他说:“你看这三个字,这里明明是老鼠的家嘛,我可不占别人的房子。”

笨狼又走进森林,找自己的家去了。他对聪明兔说:“我一定能找到的,你别担心。

聪明兔摇摇头,咧开红红的三瓣嘴笑一笑,从口袋里摸出一支蓝色粉笔。他把木牌上的字擦干净,用蓝色粉笔重新写了三个字。

当笨狼在森林里转了一圈,又回到大枫树下时,他高兴得跳了起来:眼前是一座美丽的小木屋,墙上有三个好看的蓝色大字——笨狼寓。

“这才是我的家呀！我说了我一定能找得到的嘛！”笨狼骄傲地说。

晾尾巴

雨后的森林很美丽。草丛中，枯叶下，藏着一汪汪积水，不小心踩上去，会“吱”的一声溅得一身尽是泥水点。笨狼来到森林中。他小心地寻找着水凼，然后，一个不小心踩上去，猛踩一脚，水凼里的积水四散飞溅，像是下起一阵“泥星雨”。

几个不小心之后，笨狼把自己弄成了一只小泥狼。

笨狼对自己说：“笨狼呀，你这个样子太脏了，到小溪里去洗洗吧！洗得干干净净，才准回家。”

“好吧。”笨狼朝小溪走去，边走边对自己说，“要是我把全身都弄湿了，你可别怪我。”

小溪里的水“哗哗”响着，急急忙忙往笨狼身上扑。笨狼说：“这些水好喜欢我啊！”他和溪水玩起来。

在溪水里玩够了，笨狼抖掉身上的水珠，爬上岸来。

笨狼有一条毛茸茸的大尾巴。大尾巴拖在屁股后面，弄湿了就很不容易干。

太阳很大，风儿很轻。家家户户都在门前的树杈上牵根绳子，晾晒床单和衣物。

笨狼想：要是把尾巴也摘下来，搭在树枝上晾着，只要一会儿，尾巴就晒干了，多好。

没有了湿漉漉的尾巴拖着，翻起跟头来多方便呀。

笨狼翻了一个跟头。正要翻第二个，看到草地上有一队小蚂蚁在做体操。一只小蚂蚁分不清左和右，别的蚂蚁伸左腿时，他伸右腿，结果绊倒了别人，自己也摔了跤，真好笑。

笨狼不翻跟头了，他趴在草地上，看小蚂蚁们做体操。

小蚂蚁们做完体操，排着队回家去了。一会儿，又来了五只蟋蟀，带着小提琴，在草地上开音乐会。金铃子站在中间独唱，十只穿超短裙的萤火虫伴舞。笨狼看得入了迷，一点也不知道太阳早就回家去了。现在，月亮姐姐正划着小船，在天上钉银钉子。等金铃子唱完最后一首歌，跟笨狼说了“再见”，笨狼才想起该回家了。

笨狼到小树上去取尾巴，尾巴不见了，树上树下全没有。

尾巴不见了，这可怎么办？你要知道，笨狼是多么喜欢他的大尾巴啊！

“我的毛茸茸的尾巴啊！”笨狼坐在草地上，大声地哭。

他的哭声那么大，仅仅哭了一声，草地上和森林里所有的居民，一下子就都知道：笨狼的尾巴不见了。

大家都想帮助笨狼。

聪明兔从爷爷留下的旧皮箱里找到了一根兔尾巴。“送给你吧！”聪明兔大方地说。

笨狼摇摇头，兔尾巴太短了，笨狼不要。

蜥蜴跑来了，手里拎着一条蜥蜴尾巴。这是去年被一块石头砸断的，今年他已经长出了新尾巴。

笨狼摇摇头，蜥蜴尾巴太小了，笨狼不要。

“别哭了，也许，你也像蜥蜴一样，明年就会长出一条新尾巴呢！”小松鼠安慰笨狼。

听了这话，笨狼马上不哭了。但是，明年太远了，笨狼现在就要长出一条新尾巴。

为了使尾巴快快长，笨狼想出了好主意：“挖一个坑，把屁股埋进去，浇上水，施上肥，最好呀，还洒上一点快速生长剂。”

大家都觉得笨狼说得有道理，聪明兔种胡萝卜的时候就是这么做的，地里长出的胡萝卜又大又肥。

坑挖好了，肥备好了，快速生长剂也买来了。现在笨狼该站起身，坐到坑里去了。

笨狼一边往坑里坐，一边说："可别放多了肥料，我不愿意我的尾巴长得比我的肚子还大。"就在这时候，小蜥蜴发现，笨狼的屁股上拖着一条毛茸茸的长尾巴。

"看，你的尾巴不是好端端的吗？"小蜥蜴说。

笨狼摇摇尾巴，哦，一点不错，这尾巴正是自己的。

笨狼抓抓耳朵，想呀想："我在小溪里把尾巴弄湿了，我觉得不舒服，我就想，要是能把尾巴晾起来就好了，我要把尾巴晾在小树上，让太阳晒干……"

"你只是那么想，并没有真的把尾巴晾起来，对吧？"聪明兔说。

"对呀！"笨狼想明白了，好高兴。

笨狼有一条漂亮的小板凳，板凳长着四条小腿，站在地板上，显得很神气。凳面上还画了猴子捞月亮呢！

这条凳子是狐狸舅舅给他做的，上面的猴子呢，是红蝴蝶姑姑画的。

笨狼看着那些猴子，乐得哈哈哈笑个不停。笨狼一边笑，一边指着画在大树上空的月亮，对猴子们说："别去捞了，月亮在这儿呢！"

但是，那些猴子笨透了，根本不听笨狼的劝告，还是一个劲儿地在水里捞啊捞。

笨狼一屁股坐在凳子上，把那些猴子坐得严严实实，他再也不想理那些笨猴子了。"他们太笨了！"笨狼说。

房子里的沙发比地板高出一截，一只长毛绒狗伸直四肢坐在沙发上，显得很舒服。

笨狼把凳子搬到沙发上，自己跟着往沙发上爬。这时，他看见那些笨猴子又在水里捞月亮，就又忍不住哈哈大笑起来。

笨狼的肚子笑痛了，就坐在凳子上，长长地舒了口气。可小板凳还是太矮了。

餐桌比沙发高出一截儿，把凳子搬到桌上，该能伸直腿了吧？

笨狼就踮起脚尖，把小板凳搬到餐桌上。笨狼从地板上爬到沙发上，再从沙发上爬到餐桌。笨狼还算灵巧，爬起来没费多少工夫。所以，当笨狼站在餐桌上，看见那些笨猴子还在忙着从水里捞月亮时，笨狼咧着嘴巴笑了笑，还捏了捏他们那绞得像麻花似的尾巴，想胳肢胳肢他们，让他们“扑通”一声掉进井里，出个洋相。

猴子们没有掉进井里去，这使笨狼很惊讶。“这些家伙，他们一点也不怕胳肢，要是换了我，早该痒痒得不行了。”笨狼说。

更使笨狼惊讶的是，小板凳还是太矮了！

除了屋顶，这小房子里再没有什么东西比餐桌还高出一截了。

笨狼从大黄牛家借来了一架长梯子，从小白兔家借来了一只大口袋。

笨狼把小凳子装进大口袋，把大口袋背在背上，一步一步地爬梯子。

爬到屋顶上，笨狼累极了。他再没心思笑话那些笨猴子了，只想快点坐到凳子上大口大口地喘气。

咦，怎么搞的，腿还是伸不直，坐着还是不舒服。

“我借了梯子和口袋，好不容易才爬到屋顶上，难道还要我爬到天上去吗？就算我能爬到天上去，每天背着你这么爬上爬下，也太麻烦了呀！”笨狼生气地对小板凳说。

这时候，狐狸舅舅和红蝴蝶姑姑正好来看笨狼。狐狸舅舅打老远就看见笨狼坐在屋顶上，惊奇地问：“你在干什么呢？”

"您送给我的凳子太矮了,我坐到沙发上,伸不直腿儿,坐到餐桌上,也伸不直腿儿,坐到屋顶上,还是伸不直腿儿。"笨狼说。

"怎么会这样呢?我在家里试过的呀,坐着挺舒服的。"狐狸皱皱眉头,感到很奇怪。

"不信,你自己来试试吧。"笨狼说。

狐狸爬上屋顶,往凳子上一坐,不高不矮,正合适。

"伸直腿了?"笨狼问。

"伸直了。"

"舒服?"

"舒服极了!"

"我再试试!"笨狼说。

笨狼又坐到凳子上。狐狸问:"伸直腿了吗?"

"弯着呢。"

"舒服吗?"

"难受。"

这是怎么回事呢?狐狸和笨狼围着小板凳转了一圈又一圈,实在弄不明白。红蝴蝶姑姑站在一旁,笑得差点闭过气去。

"你笑什么呀?"狐狸问。

"你没看见你比笨狼矮一截吗?"红蝴蝶笑着说,"对你刚好合适的凳子,笨狼坐起来,当然嫌矮咯!"

"我坐的凳子要比屋顶还高吗?那我吃饭怎么办?餐桌比屋顶矮得多啊!"笨狼发起愁来,但马上他又眉开眼笑地说,"我可以像钓鱼一样,把餐桌上的东西钓上来呀,这办法准错不了!"

笨狼当然用不着坐比屋顶还高的凳子。红蝴蝶姑姑拿过狐狸舅舅做的凳子,在那四条结实的小腿上钉上四块小木片,问题就解决了。

现在，笨狼坐在凳子上，把腿儿伸得直直的，真舒服。

不过，等狐狸舅舅和红蝴蝶姑姑走了，笨狼却坐在地板上，把小凳子翻过来，仔细地看那四块小木片。小木片比沙发、餐桌、屋顶矮许多许多呀，它有什么魔法呢？

导读

汤素兰（1965— ），女，湖南宁乡人，儿童文学硕士，著名儿童文学作家、童话作家，湖南师范大学文学院教授，一级作家，编审，现任全国政协委员，民进湖南省委副主委，湖南省文联副主席，湖南省作协副主席，湖南省政协副秘书长，长沙市文联主席，中国作家协会第九届全国委员会委员，中国作家协会儿童文学委员会委员。汤素兰曾荣获湖南省青年文学奖、德艺双馨青年文艺家、第七届十大杰出青年提名奖等光荣称号，并入选湖南省宣传文化系统首批“五个一批”人才，第三批国家“万人计划”哲学社会科学领军人才。

汤素兰的主要创作是童话和小说，先后创作出版儿童文学作品40余部，曾获得全国优秀儿童文学奖、宋庆龄儿童文学奖、冰心儿童文学新作奖大奖、陈伯吹国际儿童文学奖、中国好书等。其代表作有《笨狼的故事》《小巫婆真美丽》《阁楼上的精灵》《阿莲》等。

汤素兰的硕士论文《童话的诞生》，对童话文学有专门研究并有独到见解。她在童话理念的指导下创作的童话花园，是一个既充满活力，又温暖明亮的神奇世界。《笨狼的故事》讲述一只善良的小狼在聪明兔的帮助下，凭借自己的努力在森林里开心地成长。作者塑造了一个因为“笨”，总闹笑话的“笨小孩”形象。选读部分包括《笨狼是谁》《把家弄丢了》《晾尾巴》三个“笨”故事，笨狼把自己、家和尾巴“弄丢”了，为了让矮板凳合脚，一直坐在屋顶上，让人忍俊不禁。在极度夸张的描述中，凸显了笨狼的小孩心理，特别善良可爱，会使读者有一种幽默欢快的阅读体验。

【中国】李姗姗

寻找小面包

说干就干，罗德叔爬上屋顶，先将木质的桅杆固定住，又把床单做成一张“船帆”，牢牢绑在上面。有了它，就能确定“梦之号”行驶的方向了。

“不错得要命！梦之号，出发！”

罗德叔一声令下，亲自调整了“梦之号”的方向。在流浪的时候他就听说，在大海的东南方向有一个神奇的岛屿，叫“逍遥岛”，岛上住着一些友善的人，他们世世代代都住在那儿，载歌载舞，织网捕鱼，过着知足常乐的生活。试想一下，如果梦之号能够一直向西南方前进，不出意外的话，在三十天内到达逍遥岛，也不是不可能的。

许多年前，面对着满天繁星，少年罗德曾幻想着一睹大海的芳容，这个愿望让他坐立不安、如痴如醉。如今，他误打误撞实现了愿望，整日面对着涛涛大海，而且不知道还要看它多久，却没什么特别的感觉，只是心情由最初的沉重渐渐变得轻松了。大海，这个庞然大物，它有什么好看的呢？昨天和今天、今天和明天、明天和后天几乎都是一个样子。只有风能稍微让它有所变化，有时波浪高一些，有时浪花多一些，有时海风响一些。让罗德叔很不适应的还有这股腥味，就像走进了王大爷的鱼铺。

他望着这艘“自制船帆”，暗自赞叹自己的厨艺——他在棉布上画了小面包的画像，还写着三个字：

梦之号。

“爸爸！你看，我们开着‘梦之号’去远航了！我们的梦之号将是世界上最特别的船！”

幻听与幻觉同时出现，他总感觉小面包就在自己身后，或许正在柜子里翻东西，或许正抱着储蓄罐玩硬币，或许正躺在盘子里睡大觉。可他一回头，什么都没有了。

“爸爸，如果我不见了，你会找我吗？”

小面包的声音再次响起。他捏紧拳头，坚定地说：“孩子，就算走遍天涯海角，我也一定要找到你！”

“小面包！你在哪儿？”他在不同的窗口，用沙哑的嗓子朝着大海的每个方向呼喊。可是，没有回音。

“不行！这样不行！声音太小！”

他想起了小面包对付野猫的办法，于是从柜子里找到一串鞭炮点燃。噼噼啪啪！鞭炮响起来，空中海鸟都被吓走了！飞鱼、海豚跃上水面，看了一眼便惊慌失措地钻进了水里！

“还是不行！鞭炮虽然响，但不够用！”

他拿出面包房开业余下的气球，先在气球上画上头像，再写上寻找小面包的字，吹好以后用绳子绑住。接着，他在阳台上洒了一些米粒，引海鸟们来吃，当海鸟们靠近的时候，就捉住几只温顺的来，在每一只的爪子上绑上气球。

“飞吧！飞得越远越好！”罗德叔望着远方，直到这些鸟儿消失在海平面，再也不见踪影。

“寻人启事”的确是一个可行的办法，但是气球很快又用完了，米粒也消耗了不少。怎么办呢？罗德叔在屋子里走来走去，抓着脑袋。

突然，他风一般地冲到镜子前，他看到镜子里的那个男人不但长出了胡茬，在光光的脑袋上还长出了一寸长的头发。虽然邋遢了一些，可目光变得柔和了，笑容也变得亲切了。猛一低头，他看到了一个破旧的编织袋。

“啊哈！”

罗德叔高兴得差点跳起来，他拖出袋子，将封口的绳子解开，拽着袋子的底部使劲一抖：哗啦啦，上百个空瓶子掉到了地上。这些瓶子都是塑料的，他平常搜集在一起，还没来得及送到废品回收站，里面有饮料瓶、矿泉水瓶、酱油瓶子、醋瓶子。

他找出笔和本子，坐到了书桌前，专心致志地画着、写着，把所有做面包的精力都拿了出来，一直写到太阳落到大海里，一直写到蜡烛一点点矮下去……最后，他打着呵欠，趴在书桌上睡着了。

第二天一早，罗德叔把一个个瓶盖拧开，将小纸条对折、对折、再对折，直到它们都变得很瘦小了，才小心翼翼地塞进瓶子里。接着他把盖子盖好，端端正正地放到阳台上。罗德叔清点了一下，一共有九十九只，被排列得整整齐齐，就像一队即将奔赴战场的“士兵”。

“这次就靠你们了！”罗德叔许愿似的说道。然后，使出最大的力气，把九十九个“漂流瓶”投进顺风的海域。

那一刻，仿佛什么东西被带走了，又仿佛什么东西回来了。

他的心里重新燃起了希望。每看到一只海鸟，他都会询问一下：“劳驾，请问有没有见过一个长得很可爱的小男孩，他的身上有面包的香味？”

看到海豚冒出水面，他也会追问：“劳驾，请问有没有见过一个长很可爱的小男孩，他的身上有面包的香味？”

他千方百计地打听着。可小面包却杳无音讯。

有一天，罗德叔起床后发现，镜子里的自己完全变了样：头皮就像在睡梦中被施过肥似的，长出了密密的“杂草”！络腮胡越来越茂盛，上唇毫不客气地被遮挡住，只要将下巴往手臂上一蹭，就会出现一阵胡茬扎过的疼痛感。

他就像失忆了一样，一下想不起在海上漂了多久，这些日子他渐渐适应了海上生活，不再眩晕呕吐，也熟悉了波浪的摆动，几乎对每一种水的波纹都了如指掌：有时候它们很开心，像音符在快速跳跃，有时候它们释放出很大的力气，像故意在推着什么，有时候它们很慵懒，像蚯蚓在土壤中慢慢蠕动，有时候，很舒缓，像绸缎在微微起伏。

现在的他，已被这些波浪打磨得像一块礁石了。

他不得不感叹：看海，真是解决一切问题的方法。在经历了一秒一秒，一分一分，一刻一刻，一天一天，以及无数个日出和日落后，他安静了。

他看水里的鱼儿如何吐出珍珠般的泡泡，他问候往来的飞鸟，拾起它们落下的羽毛，他把面包烤成太阳和月亮的形状，他在洗碗的时候，将盘底朝上，小心地往上浇水，让水柱从盘底的中心流下去，形成一圈儿断了线的珠子，从盘沿滑向四面八方，变成了水滴做成的一个"风铃"，他按着自行车的铃铛，形成一首歌曲的音符，并且跟着轻声哼唱起来：

"面团、面团、真奇妙，
放进、烤箱、就长高，
如果、你想、长得快，
每天、吃个、大面包。"

这一天，罗德叔不停地抓着头皮，因为他的烟早就抽完了，米也快没了，从米缸里只倒出了11颗米粒儿，口袋里剩下的面粉连做糨糊都不够。

他无力地坐在书桌前，望着满满一瓶墨水。

"唉，如果墨水可以填报肚子，那该多好啊！"

这时候，屋子里突然暗了下来。他朝窗外一望：不得了！又厚又大的乌云就像层层叠叠的"大蘑菇"，就快要和海平面连在一起。风就像商量好了似的，全都躲起来了，波浪们也收敛了许多。

"不好！这是暴风雨来临的征兆！"

在海上漂浮数天以来，虽然侥幸没有遇到，而让罗德叔担惊受怕的事情终于出现了！

“我要赶紧把梦之号转移到避风港去！”

环顾四周，缥缈的大海上，只有东南方向隐约出现了一片深色的物体，罗德叔赶紧调整方向。可是来不及了！乌云互相挤压着，闪电仿佛银色的树根被一股不可抗拒的力量从天空连根拔起，雷声施展着威力，狂风就像一只铁手臂发疯似的在水里拍打着，掀起层层巨浪，石子儿一般坚硬的水花无情地朝梦之号砸来。平日里，大海就像一位温柔慈爱的母亲，孕育和包容一切，而此刻，大海彰显着自己的力量，变成了冷酷严肃的父亲！暴雨就像一张黑色的“大瀑布”，倾倒而下，浇灌着梦之号。躲在角落里的罗德叔早已变成了落汤鸡，他在屋子里翻箱倒柜，手忙脚乱，想要在关键时刻找到一根救命稻草——他发现有个柜子被锁起来了，于是三下五除二，使用蛮力撬开了它！

“小面包的藏宝箱：一条麻绳，一把手电筒，一个口哨！”

他颤抖着用麻绳将自己和一块木板绑在一起，把手电筒装在防水袋里，塞进贴身的衣服口袋，脖子上挂着口哨，深呼吸，闭上了眼睛——

在狂风中，梦之号像一片弱不禁风的树叶！一个个二十米高的巨浪打来，就像“包饺子”似的，无情地吞噬了它。

哐当！罗德叔的脑袋撞到了天花板，眼前一黑，失去了知觉。

导读

李姗姗，生于四川旺苍县，80 后儿童文学作家，中国作家协会会员，中国儿童文学研究会理事，鲁迅文学院儿童文学作家班学员，重庆作家协会儿童文学委员会副主任，重庆文学院首届签约作家，以童话、儿童诗、儿童故事创作见长。

李珊珊的儿童故事集《今天明天》和儿童诗集《太阳小时候是个男孩》分别于 2012 年和 2015 年入选国际权威儿童文学年度推荐图书——德 国“白乌鸦书目”。她的代表作长篇童话《面包男孩》获得 2016 年度“中国好书”、大众喜爱的 50 种好书，并获得中国出版政府奖、中华优秀出版物奖、中宣部优秀原创儿童文学工程一等奖，入选中国对外推广计划经典翻译工程，出版了英语、韩语、西班牙语、土耳其语等译本。

《面包男孩》讲述了穷困潦倒的流浪面包师罗德叔，一夜之间发生了命运的逆转，妙手偶得，创造了一个淘气、可爱、会魔法的面包精灵——并为他起名叫小面包。“面包男孩”对生活一无所知，却充满热情与渴望，在融入家庭、学校和不老屯的生活中，从一个小面包变成一个有想法、有情感、有勇气、有责任、有爱心的男孩的故事。故事取材于作者早年在儿童杂志《东方娃娃》上进行连载的《面包宝宝》，因为得到读者广泛喜欢，作者在此基础上精心构思，创作成一部长篇童话。在创作本书时，《面包男孩》创作灵感来源于三代人的童年，其中一部分源于作者小时候与外公和爷爷的对话，一部分源于作者自己的成长经历，另一部分来源于作者与儿子童年相处的点滴。李姗姗说：“小时候我家住在半山腰，周围全是梯田，里面都是金黄的小麦，那一抹金黄是我一生最难忘的色彩。”童年的麦田和浓浓的麦香味给了李姗姗最初的人生感悟，而小时候亲手捏的一个“小面人”也成为面包男孩的雏形，她把这些经历、思考和感悟融入《面包男孩》的写作中，塑造了丰富多彩的人物形象，并和现代的孩子的成长相融合，让读者感受到有趣又有营养，也让自己重温了童年。作者希望通过这本书让孩子感受到，无论成长中经历多少艰难和挫折，都要用善的眼光和方式去看待，要让自己的生活充满希望和阳光。她还希望家长也能一起读读这本书，走进孩子的世界，用无限温柔的爱去尊重、支持、陪伴和理解孩子。

《面包男孩》获得“2016 年度中国好书”的颁奖词写道：“本书是一部幻想儿童文学作品，讲述了小精灵‘小面包’神奇的成长经历。故事充满奇思妙想，童情童趣极为浓郁，可爱中透着哲思。书中配有大量手绘图画，色彩温馨。每个孩子都能从书中遇见充满好奇心和想象力的自己。本书是当代中国幻想儿童文学的新突破。”作者表示“面包男孩”的故事才刚刚展开，她会继续写下去，除了文学作品，还将通过动画电影、舞台剧、有声故事等多种形式奉献给小读者。

《寻找小面包》选自《面包男孩》第 7 章第 2 个故事，也是全书 7 章 25 个故事的第 24 个故事。故事写罗德叔不畏暴风雨来临前出海的凶险，驾着“梦之号”向“逍遥岛”出发，去寻找被自己一气之下“赶出家门”的面包男孩，却被风浪打晕头，失去了知觉。故事完整，事件单纯，情节曲折，气氛紧张，没有正面写面包男孩，却从罗德叔的心理和行动上，处处写面包男孩，将面包男孩的命运和罗德叔的命运交织在一起，紧紧抓住读者的心。

【日本】秋田雨雀

白鸟之国

一

在一个湖边，住着一对白鸟夫妇，他们俩都自以为长得非常标致，时时刻刻讲究羽色和步法。

“世上虽然有各种各样的鸟类，但是比我们夫妇更漂亮的，恐怕不会有了。”

丈夫一边用他那红红的长嘴温柔地抚弄着翼上的绵毛，一边这样说。

“这是肯定无疑的。孔雀虽然号称百鸟之王，但是她那身粗毛，不知有多么难看。跟她比起来，我们的雪白的羽毛，真是无上的佳品。”

妻子一边伸长脖颈饮着湖水，一边对丈夫的话表示赞同。

不错，这对白鸟夫妇的羽毛的确很美，而且颈子也长得恰到好处，比别的白鸟漂亮多啦。然而可惜的是，这对白鸟夫妇都只有一只眼睛，这就是所谓白璧微瑕吧。但这对白鸟夫妇却丝毫也不觉得自己是独眼，因为丈夫所看到的，同妻子所看到的一样；妻子所看到的，也同丈夫所看到的一样。他们俩都相信，世上再也没有像他们看东西看得这样准确的了。

白鸟夫妇产了四个卵。他们盼望着早一点将卵孵化，生出和自己一样美丽的白鸟。就这样盼呀，盼呀，日子一天天过去了。

不久，从四个卵中孵出四只可爱的白鸟来。白鸟夫妇的生活顿时为之一变，他们感到说不出的高兴。

“多漂亮的小鸟啊。但愿他们早一点长大，等到自己会捕虫捉贝就好了。”做父亲的白鸟说。

“是啊，但愿如此。他们生活在这湖边，不知会感到多么幸福呢。何况我们又这样疼爱他们。”做母亲的白鸟说。

白鸟爸爸接着说道：

“这帮小家伙，生下来既不是那种低贱的野鸭，也不是那种粗鲁的鹫鸟，他们不知多么庆幸呢。”

然而有一天，白鸟夫妇发现了一件非常可悲的事。不是别的，就是这四只十分可爱的小白鸟，都多生了一只眼睛。

“哎呀！这如何是好？好端端四只漂亮的小鸟，真可惜，每只都多生了一只眼睛……”做母亲的白鸟说道，接着发出一声哀鸣。

“可不，眼睛生得是有些怪呢！——不过，不知道长大以后怎么样。或许我们生出来的时候，也都是生着两只眼睛的吧。”

毕竟做父亲的白鸟是个男子汉，说话有分量，白鸟妈妈的精神又振作起来了。

二

但是白鸟夫妇因为自己是独眼，生了四只两只眼睛的白鸟，便以为他们是残废，总耿耿于怀，觉得窝囊。

“趁他们小，索性把一只眼睛弄瞎了吧。”

做父亲的白鸟心里虽然这样想，但并没有这样做的决心。

四只小白鸟却一点儿也不关心这种事，他们一天天地长大了，疏松的乳毛变成绵毛，绵毛又逐渐变成纺绸一般的羽毛。等到羽毛丰满了，两只眼睛看东西也分明了，他们便离开母亲的身边，东飞西飞。他们还没有学习之前，就已经飞到湖中，随意捉些鱼儿、蚌儿来吃。

因为小白鸟们的羽翼还没有充分发育，做父母的心中很是担忧。

“喂！喂！别游得太远了。快回来！快回来！”做父母的白鸟张开双翅，呼唤着小白鸟们。

小白鸟们全然不理会双亲的忧虑。他们也不对父母说一声，就径直飞到一两里远的地方去游泳了。

小孩子们的眼睛看到什么东西都是新鲜的。他们看到了湖上的各种情景，有和自己同类的鸟儿，翱翔在高空，整天唱着悦耳的歌声；有伸着可怕的嘴追逐着水鸟的大鸟；有外形同自己类似，但穿着非常粗糙的丑鸟；也有终生都站在湖水中默默地看着人世的鸟儿。

小白鸟们觉得这世上十分有趣。

“这就是所谓的世界吧！”

小白鸟们这样想。他们天天都滑动着红红的蹼，在湖上到处游玩。

三

一天，白鸟父亲对白鸟母亲说：

“咱们的孩子为什么都这样野呢？白鸟的孩子绝不该是这样野的，一定是因为眼睛有毛病吧。咱们多倒霉啊。”

白鸟母亲说：

“一准是这样吧。因为此外他们再也没有什么地方和我们不同。不知道怎样才能治好孩子们的眼睛呢！”

她将修长的脖颈贴在胸口，悲伤地深深一叹。

恰好就在这时，一只饥饿的老鹰，扑着双翅，发出可怕的声响，从他们头上掠过。

白鸟夫妇大吃一惊，连忙躲进草丛深处。

“要是给这只饿鹰看见，可不得了啊。不知咱们的孩子们此刻在哪儿？”白鸟父亲低声说。

然而到了黄昏时候，四只小白鸟都丝毫不以为意，他们精力十足，掠过湖面，回到家中。尽管白鸟父母把孩子狠狠训斥了一顿，可是第二天，太阳还没升起，他们又飞到湖中去了。

白鸟父亲反复思忖着怎样才能消除自己的忧虑。

“孩子们小的时候，我不知想过多少次，索性将他们的一只眼睛弄瞎吧……现在是非这样做不可的时候了……虽然可怜，但为了孩子们的幸福……”白鸟父亲说。

白鸟母亲毕竟是女人，只有呜咽啜泣而已。

四

一天早晨醒来，四只小白鸟感到一只眼睛瞎了。他们痛哭流涕。在他们看来，这世界突然黑暗了。他们每日在湖湾的岸上蹒跚地踱来踱去，恋慕着广阔的湖水，发出声声哀鸣。

某日，两只饥饿的大老鹰飞到湖上来，用锐利的爪子轻而易举地将四只小白鸟抓去，飞上高空……利爪迅速刺进四只小白鸟的小小胸脯……此刻，他们的心脏正在破裂。

（央田译）

导读

秋田雨雀（1883—1962），日本著名作家，曾5次连任日本儿童文学者协会会长，以童话和戏剧创作成就最为突出，童话代表作有童话集《给东方的孩子》（1921）等。《白鸟之国》（1920）是他最著名的作品之一。这是一篇令人震惊与发人深省的悲剧故事。白鸟夫妇因为自己只长一只眼睛，并因此视两只眼睛为畸形，把自己孩子的两只眼睛都弄瞎一只，结果小鸟由于失去了原有的视力，无法防范突然飞来的老鹰，都喂了老鹰。故事是虚构的，但现实生活中像白鸟夫妇那样以自我为中心，以个人好恶作为衡量事物好坏标准的父母，却并不少见，他们热爱自己的儿女，无时无刻不在关心着儿女，可他们的愚昧无知与自以为是，却又常常扼杀了孩子们正当的权利和可贵的品质，甚至像童话中的四只小白鸟一样，正因为父母错误的爱，才把他们送上了绝路。因为爱而毁灭了所爱，这是一种多么令人心碎的不幸啊！

【日本】新美南吉

小狐狸买手套

寒冷的冬天从北方来到了狐狸母子居住的森林。

一天早上，小狐狸刚要出洞去，突然“啊”地喊了一声，两只手捂住眼睛，滚到狐狸妈妈的身边，说：“妈妈，眼睛不知扎上什么了，给我擦一擦，快点！快点！”

狐狸妈妈吃了一惊，有点发慌，她小心翼翼地把小狐狸捂着眼睛的手掰开看了看，眼睛里什么也没有扎上。狐狸妈妈跑出洞去，这才恍然大悟。原来昨天晚上下了一场很厚很厚的雪，白雪被灿烂的阳光一照，反射出刺眼的光，小狐狸还没见过雪，受到刺眼的反射光，误以为是眼睛里扎进什么东西了。

小狐狸跑出去玩儿了。他在丝棉似的柔软的雪地上兜着圈子，溅起的雪粉像水花似的飞散，映出一道小小的彩虹。

突然，后面发出可怕的声音：

“呱嗒，呱嗒，哗啦！”

像面粉似的细雪，“哗啦”一下，向小狐狸扑下来。小狐狸吓了一跳，在雪中像打滚似的，朝对面逃出去好远，心想：这是什么呀？他扭回头瞧了瞧，但什么异常情况也没有，只有雪像白丝线似的从树枝间不停地往下落着。

过了一会儿，小狐狸回到洞中，对妈妈说：

“妈妈，手冷，手发麻了。”

他把两只冻得发紫的湿手，伸到妈妈面前。狐狸妈妈一边“呵——呵——”地往小狐狸手上呵气，一边用自己暖和的手，轻轻握着小狐狸的手，说：

“马上就会暖和起来，妈妈给暖暖，很快就会暖和的。”

狐狸妈妈心里想：可爱的小宝宝，要是手上生了冻疮就可怜了，等天黑以后，去镇上给小宝宝买双合适的毛线手套吧。

黑乎乎的夜幕降临了，把原野和森林笼罩起来，但雪太白了，无论夜幕怎样包，仍然露出雪光来。

狐狸母子俩从洞里走出来，小狐狸钻在妈妈的肚子下面，一边走着，一边眨着滴溜圆的眼睛，好奇地看看这，看看那。

不久，前方出现了一点亮光。小狐狸看到后，就说：

“妈妈，星星掉到那儿了，是吧？”

“那不是星星。”狐狸妈妈说着，不由自主地停住了脚。

看到镇上的灯光，狐狸妈妈想起了有一次和朋友到镇上去，遇到的倒霉事。当时，狐狸妈妈一再劝说：不要偷东西。但朋友不听，想偷人家的鸭子，结果被人发现使劲追赶，好不容易才逃了出来。

“妈妈，站着干什么呀？快点走吧。”

尽管小狐狸在妈妈的肚下催促，可狐狸妈妈怎么也不敢往前走了，她想啊想啊，怎么也想不出一个买手套的好办法，只好让小狐狸独自去镇上。

“宝宝，伸出一只手来。”

狐狸妈妈握住小狐狸伸出的那只手。不大工夫，那只手变成了可爱的小孩手了。小狐狸把那只手伸开，握住，又掐，又嗅。

“真奇怪啊，妈妈，这是什么呀？”

小狐狸说着，借着雪光，又仔细看起那只变了形状的手。

“这是小孩手，宝宝。去的镇上有很多人家，首先要找挂着黑色大礼帽招牌的人家。找到后，‘咚咚’地敲敲门，然后说‘晚上好’。你这样做了，人就会从里面把门打开个缝，你从门缝里把这只手，哦，就是这只小孩手伸进去，说‘请卖我一副合适的手套’。明白了吗？可不能把那只手伸进去啊。"狐狸妈妈耐心地教导着小狐狸。

"为什么要这样做呢?"小狐狸不解地反问道。

"因为人要是知道你是狐狸的话,不但不卖给你手套,还要抓住往笼子里关呢!人哪,真是可怕的东西啊。"

"嗯。"

"千万不能把那只手伸进去。噢,要把这只,瞧,把这只小孩手伸进去。"

狐狸妈妈说着,把带来的两个白铜钱,塞进小狐狸的那只小孩手里。

小狐狸在映着雪光的原野上,摇摇摆摆地朝着镇上的灯光走去。

开始时只有一个灯,接着出现两个、三个,后来增加到十几个。小狐狸看着灯光,心里想:灯就像星星似的,有红的,有黄的,还有蓝的哪!

不久,到了镇上。大街上,家家户户都已经关了门。只有柔和的灯光,透过高高的窗户,映在街道的积雪上。

不过,门外的招牌上,大都点着小电灯泡。小狐狸边看招牌,边找帽子店。有自行车招牌、眼镜招牌,还有很多很多其他的招牌。那些招牌有的是用新油漆写上的,有的像旧墙壁似的已剥落了。第一次到镇上来的小狐狸,不明白那些到底是什么。

小狐狸终于找到了帽子店。妈妈在路上曾仔细告诉过他。画有黑色大礼帽的招牌,在蓝色灯光的照耀下,挂在门前。

小狐狸按照妈妈教的,"咚咚咚"敲了敲门,说道:"晚上好。"里面响起"咯噔,咯噔"的声音。然后,门"嘎吱"一声开了一寸左右的缝,一道灯光穿过门缝,长长地映在街道的白雪上。

小狐狸的眼睛让灯光一晃,一下子慌了起来,把不该伸进去的手从门缝里伸了进去,说:

“请卖给我一双合适的手套吧。”

帽子店的人看到这只手，不由得“哎呀”了一声，心想：这是狐狸手呀，狐狸买手套一定拿树叶来买了。于是，他说：“请先交钱。”

小狐狸握着两个白铜钱，老实地交给了帽子店的人。那人用食指弹弹，然后互相敲敲，发出“叮叮”好听的声音。他想，这不是树叶，是真正的铜钱，便从柜子里取出小孩用的毛线手套，放到小狐狸的手里。小狐狸说了声“谢谢”，就离开了帽子店。他顺着来的路一边走，一边想，妈妈说人是可怕的东西，可今天的事却并没感到人有什么可怕。

当他正要从一个窗户下走过时，忽然听到人的声音。啊，这是多么慈祥，多么好听，多么稳重的声音呀！

“睡吧，睡吧，

躺在妈妈的怀里，睡吧，睡吧，

枕在妈妈的胳膊上。”

小狐狸想，这声音肯定是小孩妈妈的声音。因为每当小狐狸困了想睡觉时，狐狸妈妈也是以这样慈祥的声音，摇着他入睡的。

接着，是小孩的声音：

“妈妈，这么冷的晚上森林里的小狐狸冷不冷？”

又是小孩妈妈的声音：

“森林里的小狐狸啊，听着狐狸妈妈的歌儿，在洞里就要睡着了。好宝宝快睡吧，看看宝宝和狐狸哪个睡得快，一定是宝宝睡得快。”

小狐狸听到这儿，忽然想起妈妈来了。他飞快地朝着妈妈等候的地方跑去。

（杜丽蓉译）

导读

新美南吉(1913—1943)是二战前日本最活跃也是童话创作成就很高的作家之一,有12卷本的《新美南吉全集》传世,可惜他因病,年仅29岁便离开了人世。然而十分可贵的是,在他意识到自己将不久于人世的最后日子里,仍写下了《拴牛的小茶树》《花木村和小偷们》《农民的脚和和尚的脚》等民间故事型的儿童故事作品,把自己生命的最后瞬间都献给了儿童文学事业。

《小狐狸买手套》是新美南吉的代表作。从外面玩雪回来的小狐狸双手冻得发紫,该给小狐狸买副手套了。狐狸妈妈把小狐狸的一只手变成了人的手,嘱咐它买手套时,千万别伸出另一只手,否则人们会把它抓住关进笼子里去。可是,小狐狸在买手套时,偏偏伸出了狐狸的手。读到这里,读者一定会替小狐狸担心起来,但接下来并没有发生意外,美妙的是作者描绘出了一幅人的世界与狐狸的世界的童话性和谐的画面。这和谐的美妙旋律的主题便是母爱,小狐狸正是在母爱的感召下,飞快地朝着妈妈等候的地方跑去。

【印度】《五卷书》

聪明的天鹅

在一片树林子里，有一棵枝干粗大的无花果树。在这树上，住着天鹅一家子。在这棵无花果树的底下，长出了一棵叫作桥赏弥的蔓藤。于是老天鹅说道："这一棵往树上爬的蔓藤，对我们是非常危险的。说不定什么时候会有人攀援着它爬上树来，把我们害死。当它还柔弱容易砍掉的时候，应该把它去掉！"但是小天鹅们却不听他的话，不把这一棵蔓藤砍掉。过了一段时间，这一棵蔓藤就把树从四面八方围起来了。有一次，当这些天鹅都出去找寻食物的时候，一个打猎的抓着蔓藤爬到这棵无花果树上来，在天鹅的窝里放上绊索，就回家去了。当这些天鹅都吃得饱饱的在夜里飞回窝来的时候，他们都给绊索拴住了。于是老天鹅就说道："我们现在都倒了霉，都给绊索拴住了，就因为你们都不照着我的话办事。现在我们都完蛋了。"于是这些天鹅都对他说："尊敬的先生呀！现在既然到了这个地步，我们怎么办呢？"老天鹅说道："如果你们听我的话的话，那个打猎的一来，你们就装死。打猎的心里会想：'这些家伙都死了。'然后就把你们都掷在地上。当他往下爬的时候，你们就在同一个时候一齐飞起来。"天一亮，打猎的就回来了。他看到，他们都像死了一样；打猎的心里丝毫也没有怀疑，就把他们从绊索上解下来，一只一只地丢到地上去。当他们看到他正准备往下爬的时候，就照着老天鹅出的那个主意，在同一个时候，一齐飞起来，飞走了。

因此，我说道："要听年老的人的话。"

（季羡林译）

导读

《五卷书》是印度古典梵语文学期的一部故事集，成书于公元前12世纪至公元前1世纪之间，大部分故事以动物为主人公，被称为“世界上第一部童话书”。相传是古印度为宫廷孩子阅读而采编的。说的是有个国王生了3个儿子，都蠢笨得叫国王发愁，于是国王就叫大臣们设法使三个儿子变得聪明而有学问。大臣们都无能为力。后来请来了一位80多岁的婆罗门（以祭祀、诵经、传教为业的宗教职业者），他保证6个月内能使3个王子都聪明起来。这位婆罗门改变了传统教法，以能吸引儿童接受教益的鸟言兽语即动物故事作为主要教材，大故事套小故事，共5个大故事78个小故事，每个大故事为一卷，共5卷，故取名《五卷书》。

《聪明的天鹅》是78个小故事中的一则著名的益智童话，也可以说是寓言性的童话。童话中的老天鹅见多识广，很有预见，也很有智慧，告诉少年儿童应该重视与听取长者的忠告，因为他们有许多教训与经验，可以让后人少受挫折，少走弯路。这也正应着中国一句古训：不听老人言，吃亏在眼前。

【阿拉伯】《一千零一夜》

阿里巴巴和四十大盗

卡希穆与阿里巴巴

很久以前，在波斯一个城市里住着两兄弟，老大叫卡希穆，老二叫阿里巴巴。卡希穆非常富有，阿里巴巴非常贫困。

早先，卡希穆和他弟弟一样也是一个穷汉，但后来他娶了一个富商的女儿。这个女人从她父亲那里继承了一大笔遗产，卡希穆与她结婚后继续经营生意，不久就赚了许多钱，一跃而成为富豪。

而阿里巴巴的妻子，则是一个出身穷苦的女人。两人的全部财产，除了一所供起居的茅舍，就是三头毛驴了。每天早晨，阿里巴巴赶着三头毛驴去林中砍柴；傍晚，进城把柴卖掉，再买点吃的和用的东西回家。

卡希穆是个无情的人，尽管他非常富有，但从来没接济过他弟弟一分钱。他的妻子更是吝啬，对小叔子的家境不仅不同情，甚至还讽刺奚落。

在森林里

一天，阿里巴巴像往常一样赶着三头毛驴进了森林。他砍了三大捆柴。正当他准备往驴背上放柴时，不远处突然传来“嘚嘚”的马蹄声。紧接着眼前风尘弥漫，一支马队向他这边疾驰而来。阿里巴巴非常害怕，迅速把毛驴拴在林中的一棵大树下，自己爬上了树梢，隐藏在茂密的枝叶间，直到深信不会被下边的人发现，才定下心来。

片刻后，一支马队在附近停下。阿里巴巴在树上数了数，一共四十个。他们翻身下马，大声吆喝着说话。从他们的谈话中，阿里巴巴听明白了，这是一伙强盗，刚刚抢劫了一个商队，劫果累累。

阿里巴巴还看见，一个上了年纪的强盗——显然是这支队伍的头领，走到近处的一座山前，冲着一块大石头说：“芝麻开门！”巨石立即分开，露出一个洞来。强盗鱼贯走了进去，过了一会儿又一个一个走了出来。强盗头子又说：“芝麻关门！”巨石恢复了原状，与其他山石连接在一起，就像从来没有分开过一样。随即，强盗们跨上马，又从原路扬长而去。

芝麻开门

阿里巴巴对眼前所发生的一切感到万分惊奇。他想：“这个山洞里一定藏着这伙强盗抢劫和偷盗来的全部金银财宝。现在我已知道了打开这个山洞的暗语，我要去试验一下，打开它看看里面到底都有些什么宝贝。”

这样想着，他从树上溜下来，走到巨石前。他喊道：“芝麻开门！”石头果然应声而开，露出了洞口。阿里巴巴走了进去，立即被眼前的景象惊呆了。那里有一堆堆码到洞顶的丝绸、锦缎和彩色毡毯；数不清的金币银币，有的装在袋子中，有的散落在地上；满筐满箩的珍珠、宝石和各种首饰；各类金银器皿和珍贵宝物。阿里巴巴一生从来没有见过这么多好东西。此刻他看得眼花缭乱，不知所措。他担心强盗们重返山洞，抓住他就会要他的命。于是赶紧装了三头毛驴能够驮得动的金币，匆匆跑出山洞。他说了一声：“芝麻关门！”石头又回到原地。为了不使路人发现，阿里巴巴用柴草盖住了钱袋。

泄　密

阿里巴巴回到家里，他妻子见了这么多金币，大惊失色。她以为这是丈夫偷来的，非常害怕。

“你从哪儿弄来这么多钱？”她问。

阿里巴巴向她讲述了事情的经过，妻子放下了心，她高兴极了，因为她做梦也想不到会得到这样一大笔金钱。她打算数数这些金币，可是数量太多，怎么数也数不清。于是她吩咐丈夫说：“你先在院里挖一个坑，我一会儿就回来。”

“你到哪儿去？”

“我到你哥哥家去借个升，量量我们到底有多少金币。”

“不用了，我们把金币埋在一个地方算了。”阿里巴巴阻拦说，他不愿走漏消息。

妻子非常固执，还是去了卡希穆家。卡希穆不在，她便向卡希穆的妻子借升。多心的女人想知道她要量什么东西，于是便在升底抹了一点蜜。

阿里巴巴的妻子将升拿回家时，阿里巴巴已经挖好一个大坑在等她。她量完金币，把它们倒进坑里，最后两人用土把坑口原样盖好。

阿里巴巴的妻子又去将升子送还给卡希穆的妻子。可是她万万没有想到，一枚金币粘在底部。当卡希穆的妻子接过升子时，立即发现了那枚金币。她大吃一惊，心犯狐疑，紧接着妒火中烧，又是咬牙又是跺脚地发誓，非要把事情弄个明白。

卡希穆逼迫阿里巴巴

卡希穆的妻子找到丈夫，大发脾气，说：“你弟弟阿里巴巴把我们骗啦！他成天在我们面前装穷，说他没粮没钱，其实比我们富千倍！”

卡希穆丈二和尚摸不着头脑，不知这话从何说起。妻子见他好似不信，又说：“他借我们的升量金币了！”然后拿出那枚粘在升底的金币给他看，并把事情的原委告诉了他。卡希穆顿时火冒三丈，嫉妒、羡慕、恼恨交织在一起，使他不顾一切地奔到阿里巴巴家，逼他说出金币的来历。

阿里巴巴是个老实人，心地十分善良。他有什么事都不愿瞒住哥哥，可是他清楚哥哥是个爱财如命的人，如果告诉他金币的底细，他一定会到山洞中去拿取，这样就很有可能闯出大祸。于是他对哥哥说："哥哥，我们两家平分这些金币吧！"

卡希穆不满足，声色俱厉地说："你一定要告诉我从哪儿弄来的金币，否则我到法官那儿去告你，让他们用武力没收你的钱财，把你关进监狱！"

"我不怕法官，"阿里巴巴说，"因为这些金币并不是我偷来的。我是热爱你和忠诚于你的，我可以把得到金币的办法告诉你，即使你把所有的金币都拿来我也没意见，因为你是我的同胞兄弟。我只是担心，你去了宝库，一旦碰上强盗，他们就会抓住你，杀死你的！"

卡希穆一想到闪闪发光的金币，什么危险也不顾了。他从阿里巴巴那里知道了路途，立即回家准备了十匹骡子，然后赶着它们向强盗的宝库出发。

在强盗的宝库中

卡希穆按照阿里巴巴的指点，来到那座山前。他找到那块巨石，大声说："芝麻开门！"随着喊声，巨石豁然分开，向两边移去，露出了洞口。卡希穆喜不自禁，走了进去。他怕路上有人经过，看见洞口，于是回头说："芝麻关门！"他看着洞里堆积如山的金银财宝和绫罗绸缎，几乎惊呆了。他只是呆呆地望着，忘了时间，忘了地点，甚至忘了自己，过了好久，他才如梦初醒，开始挑选财宝。又过了好几个小时，他挑出足够十匹骡子驮的东西，才准备动身。可是他忘了开门的暗语，费了很多脑子也没想起来。他试着说了一声：“大麦开门！”门纹丝没动。他越发惊恐不安，又说：“豌豆开门！”门还是不开，又说：“燕麦开门！小麦开门！扁豆开门！蚕豆开门！”直到把属于豆麦谷物之类的各种名称全部说了一遍，也没想起芝麻来，洞门还是关得紧紧的。

这时，卡希穆相信自己必死无疑了。他知道，这是他的贪心换来的。但是后悔已经来不及了。

卡希穆之死

正在这时，强盗来了。他们见洞外有十匹骡子，非常吃惊。强盗头子猜到准是有人进了宝库，于是连声大叫：“芝麻开门！”

卡希穆听见叫声，才恍然想起暗语，可是已经晚了。

洞门大开，他看见一伙怒气冲冲、持刀握剑、凶神恶煞般的强盗。他想逃跑也不行了。强盗们站在洞口，犹如一道铁墙，堵住了他的去路。他下意识地向后退去，结果被一个强盗一刀砍下了脑袋。紧接着，愤怒的强盗们又把他的尸体砍成四块，挂在洞内的四个角落，以警告他的同伙——那些企图进入宝库索取财物的人们。

一切安排妥帖，强盗们走出洞外，跨马扬长而去。

卡希穆的尸首

晚上，卡希穆没有回家，他妻子坐卧不宁，吃喝无味。她担心丈夫遭了不幸，于是匆匆来到阿里巴巴家，将丈夫自从早晨出去直到现在未回的消息告诉阿里巴巴。阿里巴巴也很不安，他担心哥哥身遭祸患。他在嫂子面前没有流露不安情绪，而是说：“或许哥哥为了不让过路人看见，先躲进森林里，等夜间再回来吧。”

卡希穆的妻子稍稍放下心，可是时至半夜，丈夫仍然未归，她越想越害怕，又跑去找阿里巴巴。阿里巴巴劝她等到早晨，而他自己赶着三头毛驴悄悄去了宝库。一进宝库，他就看见卡希穆被砍成四块吊在洞内的尸体，非常伤心，忍不住大哭。过了一会儿，他镇静下来，知道这样哭无济于事，于是把哥哥的尸体取下，装进口袋，放在驴背上，又装了两袋财物，分别放在其他两头驴上，向家中走去。

埋葬卡希穆

阿里巴巴赶着毛驴到了哥哥家，他嫂子见了丈夫的尸体痛哭不已，阿里巴巴好言劝慰了很长时间，才稍稍平息。阿里巴巴对嫂子说："现在哭也没有用，我们应该商量商量如何埋葬哥哥，既不被人怀疑，又不能让强盗知道，否则强盗找上门来，我们全家都没命了！"

"我们该怎么办呢？"卡希穆的妻子没了主意。

卡希穆家有个忠实而聪明的女仆，名叫麦尔佳娜。听了他们两个人的对话，她说："我去药店买药，就说老爷病危，快死了。"

次日早晨，麦尔佳娜来到一家药店。老板问她买什么药，她说："我家老爷卡希穆突然得了重病，不吃不喝，看样子生命都保不住了，有什么药能够急救吗？"

老板卖给她一剂药，她急忙跑回家。第二天，她又来到药铺，买了一剂药，并愁眉苦脸地对老板说："我担心他连这剂药都吃不完，就咽气了。"

晚上，卡希穆家传出举哀、哭泣声，街坊四邻听了，无人怀疑，因为这两天他们总看到阿里巴巴和他妻子从他哥哥家跑出去。

"我们怎么把他入葬啊，尸体还是一块一块的呢！"卡希穆的妻子又提出一个难题。

"我给你们找个缝尸匠来！"麦尔佳娜说。

她很快跑到一家缝纫店，找到老板，给他两个金币。老板是一个技术高超的老裁缝，名叫巴巴·穆斯塔发。他见了金币，很是高兴，忙问姑娘有何事相求。麦尔佳娜说明来意，老板乐意效劳，于是随她向家中走去。快到家时，麦尔佳娜用一块手帕蒙住穆斯塔发的眼睛，然后把他领到了停放卡希穆尸体的房间。

麦尔佳娜给裁缝揭去手帕，裁缝动手缝尸。他动作熟练麻利，很快便把凌乱的尸首连成一体。麦尔佳娜又给他一枚金币，要他缝一件殓衣。裁缝见钱眼开，立即动手缝起来。

干完了活，麦尔佳娜又用手帕蒙住了裁缝的双眼，把他送出好远，直到相信他再也找不到原地了，才为他解开。

次日，讣告发到卡希穆的朋友手里，朋友们赶来吊丧，妇女们也都来安慰卡希穆妻子。丧礼办得十分得体。

几天以后，因卡希穆家无人照顾，阿里巴巴搬到他哥哥家，继续经营哥哥的生意，并负责抚养教育侄儿。

巴巴·穆斯塔发和强盗

当强盗们再一次来到他们宝库时，发现卡希穆的尸体不翼而飞。

“准是他的同伙将尸体偷走了！”他们说。于是，头领派了一个强盗去城里寻找偷尸者。

那强盗来到城里，找了一天一夜，也没找到线索。黎明时分，他经过巴巴·穆斯塔发的店铺前，见穆斯塔发正坐在铺里干活，便走上前去致意，并惊奇地问：“天还没亮，怎么就干起活了，你看得见吗？”

穆斯塔发得意地说：“安拉赐给我一双好眼睛，昨天我在一间黑暗的屋子里缝了一具被砍成几段的尸体呢，眼睛根本不感觉累！”

强盗一听，喜出望外，使用各种伎俩套出了裁缝与麦尔佳娜之间发生的一切。然后塞给穆斯塔发一枚金币，让他领着去看看那所房子。穆斯塔发说：“我也不知道那所房子在哪儿，因为当时那姑娘用手帕蒙住了我的眼睛。”

“你跟我走，说不定我们能够找到呢？”强盗说。

穆斯塔发跟着强盗走不多远，在一个地方停住了，他说：“到这儿我就不知道路了。”

强盗掏出一块手帕蒙住他的双眼，说：“跟着我走，估计一下你跟那姑娘走的路程。”

穆斯塔发本是个聪颖敏捷的人，在强盗的牵引下，他边揣测边摸索。一会儿，他突然停下来大声说：“就在这儿！”

强盗在阿里巴巴的住宅前用白色粉笔划了个记号，然后匆匆回到队伍中，汇报了情况。

麦尔佳娜的智慧

强盗和裁缝刚刚走开，麦尔佳娜便走出家门办事。无意间，她发现了门上的记号，大为惊讶。她立即明白了是怎么回事，于是心生一计，拿出粉笔照着那个记号在附近每家门上都划了一个。

夜里，强盗们出动全队人马，前去抓人，可是他们发现街上每家门上都有个X，不仅颜色一致，连位置也一致。那个画记号的强盗也被搞糊涂了。匪徒们只好悻悻而返。

回到驻地，强盗头子大为恼火，一刀砍了那位无能者。他又派出第二个强盗去找巴巴·穆斯塔发。这次，强盗在阿里巴巴的院门上划了个红色记号。不料，又被麦尔佳娜发现了。她又照着在各家门上划了个红色记号。

夜里，强盗们来抓人，一切又乱了套。回到驻地，强盗头子又结果了第二个强盗的性命。

强盗头子亲自去找穆斯塔发，让他领到阿里巴巴的家门前。他在门前站了许久，暗暗记下住宅的每一个特征，直到相信不会弄错了，才离去。

麦尔佳娜和强盗

强盗头子回到驻地，找来四十个大罐。三个里面装满油，其他三十七个，每个里面潜伏一个强盗。他把四十个大罐放在二十匹骡子上，自己装扮成卖油商。他与部下商定，以他投石为信号，他们便从罐中出来，先结果对手的性命，然后搜查财物，把丢失的东西全部夺回，一切布置妥当，他便赶着牲口向阿里巴巴的住宅出发。

到了阿里巴巴的住宅，强盗头子上前敲门。他对阿里巴巴自我介绍说，他是个卖油商，是卡希穆的朋友，每年都要到这里来做客，他希望阿里巴巴今夜留他在此住一宿。

好心的阿里巴巴听信了强盗头子的话，把他请进屋去，并帮他将四十个大罐卸在院子里。

阿里巴巴热情招待客人，并陪他谈话。一直谈到很晚，两人还没有睡意。这时，麦尔佳娜突然发现她房间的灯没有油了，于是拿起油壶倒，发现油壶也空了。她想了想，便走到院子里，打开客人带来的一个大油罐。她刚要伸手舀油，突然听到里面有轻微的响声，她吓了一跳，赶忙盖上盖子。又打开了另一个油罐，听到也有轻微的响声，好似人的呼吸。她越发惊奇，揭开每一个罐子察看，只有最后三个没有声音。凭着她的聪明，她明白了，这是强盗们定的奸计！她不动声色地舀了一大锅油，放在火上煮沸，然后倒进每个罐子里。强盗们一个个都被烫死了。

深夜，万籁俱寂，阿里巴巴睡着了。强盗头子见时机已到，向院子里投出了一粒石子。见没有反应，他又投了第二粒、第三粒，仍然不见有一个部下爬出罐子。他生气地跑到院子里，揭开一个盖子，一股浓重的油味扑鼻而来，他很惊愕，伸手摸了摸，竟是一具冰凉的死尸！他又打开第二个、第三个……直至最后一个，全部如此！他气恼到极点，失去了理智，他搞不清楚这到底是怎么回事，疯疯癫癫地向山里跑去。

翌日早晨，阿里巴巴一直不见客人起床，心里很纳闷，便询问他的女仆。麦尔佳娜说："他哪里是什么油商，他就是那强盗头子，是来杀我们的！"

阿里巴巴迷惑地望着她，似乎不信。麦尔佳娜把他带到油罐前说："你打开看看里面装的是什么吧！"

阿里巴巴打开一看，倒抽了一口凉气，下意识地向后退去。麦尔佳娜说："别怕，他们都已经死了。"接着，她向阿里巴巴讲述了她烫死强盗们的经过。

阿里巴巴异常欢喜，连连赞扬麦尔佳娜的机智和勇敢。麦尔佳娜说："这有什么？这是我应尽的义务！"随后又说："我们应该赶快把他们埋掉，以免秘密泄露出去。"

于是，阿里巴巴带领男仆来到后花园，挖了一个很大的坑，把三十七个强盗的尸体扔了进去，然后埋好，把地面弄平，显得和先前一模一样。

强盗头子之死

强盗头子跑到山里，钻进山洞。他双眼冒火，精神失常，每天在洞里大喊伙伴们的名字，可是再也听不到一声回答。他号啕大哭，顿足捶胸，揪自己的头发，打自己的脸颊，也无从发泄他满腔的愤恨。这样疯疯癫癫过了几个月，他的悲哀和愤怒有增无减。他知道这样下去无济于事，只有报了仇才能洗掉这奇耻大辱。于是绞尽脑汁想出一个报复的办法。

他乔装打扮一番，扮作一个商人，住进了城里的一家旅店。他想：阿里巴巴杀死这么多人，一定会弄得满城风雨，法官一定会把他抓起来,他的家产和财物一定会被没收。于是他向旅店的门房打听:"最近城里有什么新闻?"

门房把他认为新奇的事都告诉了强盗头子,强盗头子非常失望,因为没有一件是他所关心的。失望之余他又有些奇怪,死了这么多人,怎么没有人知道呢?只有一个理由可以解释,那就是阿里巴巴太聪明太机警了。看来,他要复仇不能操之过急,得想一个稳妥的办法。

现在,卡希穆的商店由他儿子小卡希穆管理。这个年轻人,活泼热情,交际广泛,强盗头子很快就和他混熟了。他在卡希穆商店的附近租了一家店铺,做起买卖来。他慷慨大方,热情待客,博得了顾客们的尊敬。他对小卡希穆尤其热情,经常送给他贵重礼物。一天,小卡希穆邀他到家里做客,阿里巴巴热情地接待了他。他丝毫没有认出这个强盗头子,还以为他真是侄儿的朋友。

阿里巴巴吩咐麦尔佳娜备饭,麦尔佳娜端来了上等肴馔,可是这时客人却托辞要走。

"为什么?"阿里巴巴不解地问。

"近来我身体不好,大夫嘱咐我不能吃放盐的菜。"[①]

"这人是谁,为什么不吃盐?"机灵的麦尔佳娜警觉起来。

阿里巴巴吩咐上无盐的菜。借上菜的机会,麦尔佳娜瞥了客人一眼,她看见了他长袍下的匕首。麦尔佳娜不禁心中起疑。斟酒时,她又仔细打量了一下客人,终于认出了他的真面目。

"啊,他不吃盐,原来如此。看来,不把这个恶棍除掉,我们的日子就永远不得安宁。我要沉着应付,先发制人,处死他!"

聪明的麦尔佳娜回到自己房里,换上一套鲜艳的舞服,头上缠一

---

① 阿拉伯的风俗,和主人一起吃了盐,客人便不能做对不起主人的事。

块漂亮的纱巾，脸上罩一方面纱，腰上系一条彩色腰带，上插一把镶宝石的匕首。酒足饭饱以后，她走进客厅，深深鞠了一躬，请求准许她跳一个舞。

“好吧，”阿里巴巴说，“让我们的客人欣赏一下你的舞姿。”

麦尔佳娜步态轻盈地舞起来。强盗头子对这舞蹈并不感兴趣，但还要装作愉快地欣赏。

麦尔佳娜随便舞了一会儿，突然从腰间拔出匕首，快速地旋转起来，从这一边旋转到那一边，又从那一边旋转到这一边，做出各种优美的动作。不一会儿，她骤然停下，左手拿着一只小鼓，按喜庆场合的惯例，走到在座的每人面前讨赏钱。

她首先走到主人面前，阿里巴巴把一枚金币扔在小鼓上。接着她又走到小卡希穆面前，他也扔给她一枚金币。最后她走到强盗头子跟前，正当强盗头子从他长袍里掏取钱袋的时候，麦尔佳娜迅速地将匕首插入他的心脏。强盗头子顿时咽了气。

阿里巴巴大惊：“你干的什么事？这下我可让你给毁了！”

小卡希穆也很生气。

“主人，是我救了你的命！”麦尔佳娜说，她把客人的长袍掀开，露出了暗藏的匕首，“仔细看看他是谁吧！”

阿里巴巴认出了强盗头子。他非常感激麦尔佳娜的忠诚和勇敢。“你曾两次从强盗手中救了我的性命，我一定要报答你。现在我宣布，解放你，恢复你的自由。从现在起，你就是自由民了。”接着他又说，“你是一个聪明、勇敢、机智、能干的姑娘，我要把你嫁给我的侄子，永远分享我家的幸福。”

小卡希穆欣然接受了叔父的建议。

接着，大家齐心协力，动手掩埋了强盗头子的尸体。没有一个外人知道。

故事的结束

阿里巴巴选了一个吉日，为侄儿和麦尔佳娜举行了隆重的婚礼。他大摆筵席，盛宴宾客。席间，歌声、乐声和笑声连在一起，一片欢腾。

从卡希穆出事那天起，阿里巴巴再也没去过那个装满财宝的山洞。这回，强盗们死了，在一天早晨，他又去到那里。他下了马，走到巨石前，说了暗语："芝麻开门！"

跟过去一样，洞门应声而开，阿里巴巴走进里面。金银财宝原封不动地摆在那里，他装满一袋金币运往家中。

后来，阿里巴巴把所有的宝物都搬回家里，但是他不据为己有，而是分给了穷苦的乡亲们。

（王瑞琴译）

导读

阿拉伯文学巨著《一千零一夜》，又译为《天方夜谭》，是一部最早传遍世界的故事集。这部故事集包括大小故事260多个，相传这些故事的产生是这样的：古代东方某国王山鲁亚尔残暴成性，因为王后与人私通，便把王后与情夫一起杀了。从此以后，他每天娶一少女作王后，第二天早晨就加以杀害。国内有许多女子惨遭残杀。宰相的大女儿山鲁佐德年轻貌美，德才兼备，她不忍心姐妹们连连遭杀，就立志要拯救自己的同胞，便自愿嫁给国王做新妇。她每晚用讲故事的方法，引起国王的兴趣。故事讲到最紧张动人处，天已亮了，国王急于坐朝，就让她活到明天讲完故事再杀。可是第二天，她又把另一个故事讲到最精彩处停住。就这样，她一直讲了一千零一夜。最后，国王终于被她感化，放弃了残酷的行为。这些传说自然是为了给这系列故事蒙上一层神秘的轻纱并使之串联起来而杜撰的。即使真有过类似的国王，也应看到其中还有民间口头传说的附会，以及历代市井艺人和文士学者的提炼加工。

《阿里巴巴和四十大盗》是这部世界文学名著中流传最广的一篇。故事表现了善与恶的斗争，赞美了普通劳动者的智慧。前半部侧重写阿里巴巴，后半部侧重写聪明的女仆麦尔佳娜。麦尔佳娜是整个故事中最动人、最有光彩的人物形象，是蕴藏着无穷智慧和勇敢的劳动人民的象征，有关她的故事成为全书中最精彩的情节。在表现艺术上，童话采用连绵演义的结构，处处设悬念，一环套一环，前后呼应，首尾相连，显示出东方文学的特色，非常符合孩子们阅读故事的心理，一直为孩子们所喜闻乐读。

【法国】贝洛

小红帽

从前，在一个村庄里，住着一个小姑娘。小姑娘长得非常可爱，谁也没有她那样可爱。妈妈可疼她了，外婆对她更是宝贝得要命。好心的外婆给她做一顶小红帽，这顶帽子把小姑娘打扮得特别漂亮，所以大家都叫她“小红帽”。

有一天，妈妈做了一个松糕，对女儿说：“听说你的外婆病了，你去看看她好了没有，顺便把这块松糕和一小罐奶油给她送去吧。”

小红帽马上动身去外婆家了。外婆住在另一个村子里。

小红帽穿过一片树林子的时候，遇见了一只阴险的大灰狼。大灰狼真想把小红帽吃掉，但是他不敢下手，因为有几个砍柴人在树林里。

大灰狼便问小姑娘上哪里去。

半路上停下脚步，去跟一只恶狼说话，这可是一件危险的事情。可怜的孩子不懂得这一点。她对狼说：

“我上外婆家去，妈妈叫我带给她一块松糕和一小罐奶油。”

“你的外婆住得远吗？”狼问。

“噢，挺远的。”小红帽回答，“你看，那磨坊后面有一个村子，村边第一座房子就是我的外婆家。”

“好吧，”狼说，“我也想去看看她。我从这条路走，你打那条路走，看咱俩谁先到。”

大灰狼马上顺着一条最近的道拼命地奔去了，而小红帽却绕着一条最远的路走。她边走边玩，一会儿采榛子，一会儿扑蝴蝶，还摘下路边的野花儿做成一个个花束玩。

不一会儿，大灰狼跑到外婆家门口，敲起门来：咚！咚！

“谁呀？”

“是我，您的外孙女儿小红帽。”狼变着声调说，“妈妈叫我给您送来一块松糕和一小罐奶油。”

外婆身体不舒服，躺在床上。善良的老人对狼喊道：

“拉一下门闩上的小绳子，门闩就掉下来了。”

狼拉了一下门闩上的小绳子，门果然开了。恶狼立刻扑向好心的老人，一口就把她吞了下去，因为他已经三天多没吃东西了。然后他关上门，躺在外婆的床上，等候小红帽到来。

过了一会儿，小红帽来到门口敲门：咚！咚！

“谁呀？”

小红帽听到狼的粗大声音，起先感到有些害怕，可是又一想，以为外婆感冒了，声音变粗，就回答说：

“是我，您的外孙女儿小红帽。妈妈叫我给您送来一块松糕和一小罐奶油。”

狼稍稍把嗓音变得柔和一点，喊道：

“拉一下门闩上的小绳子，门闩就掉下来了。”

小红帽拉了一下门闩上的小绳子，门果然开了。

大灰狼一见小红帽进来，就藏到床上的被子底下，对她说：

“把松糕和奶油放在面包箱上，过来陪我躺一会儿吧！”

小姑娘脱掉衣服，上了床。当她看到穿着家常衣服的外婆的样子时，她感到很惊讶，问道：

“外婆，您的手臂怎么这样长呀？”

“手臂长能更紧地拥抱你啊，我的小孙女。”

“外婆，您的腿怎么这样长呀？”

“腿长能跑得更快啊，我的孩子。”

"外婆,您的耳朵怎么这样大呀?"

"耳朵大能听得更真啊,我的孩子。"

"外婆,您的眼睛怎么这样大呀?"

"眼睛大能看得清楚呀,我的孩子。"

"外婆,您的牙齿怎么这样长呀?"

"牙齿长就是为了吃掉你!"

说到这里,这只恶狼扑向小红帽,把她吃掉了。

(倪维中　王晔译)

导读

沙尔·贝洛(1628—1703)是17世纪法国杰出的诗人和批评家。1697年,在69岁时,他出版了一部童话集,名为《鹅妈妈故事集》。所谓"鹅妈妈",是因为法国民间有母鹅讲故事给她的小鹅听的说法。在这本书的初版插图上画着一个在纺纱的老妇人,身旁有3个孩子,插图下方写着"我的鹅妈妈的故事"。贝洛把古代故事中的母鹅拟人化,定下了这个书名。《鹅妈妈故事集》一问世,就受到法国乃至全世界孩子们的喜爱,一直畅销不衰,贝洛也因此被誉为世界文学童话的奠基人。

《鹅妈妈故事集》收入8篇散文童话,3篇童话诗,共11篇。《小红帽》是其中最短小的一篇,被认为是狼外婆型童话的欧洲代表作。其故事情节与同时期中国的《老虎外婆》十分相似,也是通过故事告诫人们要警惕种种以害人为目的的伪装。不同的是,《老虎外婆》是以小孩的机警与智慧战胜了老虎,是善最终战胜恶;而《小红帽》则以小红帽上当受骗被狼吃掉的悲剧而告终。也许这个结尾太让人伤感,所以在一百多年后的格林童话中出现同名童话《小红帽》时,在狼把女孩子吞吃之后，故事还在发展。这狼饱食之后，很快就入睡了。鼻子发出呼噜声。一位路过的猎人听后感到十分惊奇，就走进小屋来看个究竟。他用一把剪刀把狼肚子剪开。"他剪了两刀后，看见闪亮的小红帽。然后他又剪了两刀，这小孩子一下子跳了出来，高声大叫：'啊呀，好可怕呀！狼肚子里好黑暗呀！'然后那位老妇也随着走了出来，她感到呼吸困难。小红帽迅速搬来一些石头填到狼肚子里。这狼醒来时，想要逃跑，但肚子里的石头太重，倒下去，立即就死掉了。"这样的结尾虽然十分荒唐，却将悲剧变成了喜剧，表达了人们美好的愿望。

【德国】格林兄弟

勇敢的小裁缝

夏天的早晨，一个裁缝坐在窗口的桌子旁边，很是高兴，认真地缝衣服。一个农妇从街上走过来，叫道："卖好的糖浆！卖好的糖浆！"

这声音闯到小裁缝的耳朵里，很是可爱，他把头伸到窗户外面，叫道："亲爱的太太，上来吧，这里要买你的东西。"

那女人提着沉重的篮子，走上三层楼梯，到裁缝那里，把所有的罐子一起打开，摆在他的面前。他把它们都仔细看过，拿起来闻闻，最后说："给我称二两五钱，就是称三两也不要紧。"

那女人本来希望把货物卖掉一大部分，现在只能把他所要的称给他，非常生气，叽里咕噜地走了。

小裁缝说："这糖浆对于我的健康很有好处，它会给我力量。"说着他从橱里拿出面包来，切了整整齐齐的一块，涂上糖浆。他说："味道一定不苦，但是我要做好了这件贴身短袄以后才吃。"

他把面包放到旁边，继续缝衣服，因为心里高兴，针脚越缝越大。这时候，糖浆的气味传到了墙上：墙上有大批苍蝇，它们闻到气味，成群结队地飞到面包上来了。小裁缝叫道："喂，谁请你们来的？"他于是去赶那些不请自来的"客人"。但是苍蝇不懂德国话，不但不退却，反而愈来愈多。最后裁缝生了气，拿起一块小布，说："等着吧，我要收拾你们！"他毫不留情地往上拍打。

他把布拿起来一数，有七只死苍蝇，直伸着腿。他不得不佩服自己的勇敢，说："我原来是这样一个能干的人，应该叫全城的人都知道。"

裁缝急急忙忙地剪了一根带子，缝好，用大字母在上面绣着：一下打死七个。

他又说："哎，城里算什么，应该让全世界的人知道！"他的心欢喜得动摇，好像小羊的尾巴一样。

裁缝把带子系在腰上，要到外面去，因为他觉得裁缝店太小了，不能充分发挥他的勇敢。他临走之前，在屋里到处寻找，是不是有他可以带着的东西，但是只找着了一块陈的干酪，也就藏到袋里。在大门前面，他看见了从前在丛林里捉住的一只鸟，也放到袋里跟干酪一起。

他立刻起程，因为他身手敏捷，一路上不觉得疲倦。他顺路来到一座山上，他上到最高峰的时候，那里坐着一个魁梧的巨人正四面观望，非常逍遥自在。小裁缝大胆地向他走去，同他谈话，说："伙伴，你好，你是不是坐在这里看广大的世界？我正在到那块去，要试试我的运气。你高兴一起去吗？"

巨人轻蔑地看着裁缝，说："你这个流氓！可怜的东西！"

小裁缝回答说："什么话！"他把上衣解开，给巨人看。"你可以看看我是一个怎样的人。"

巨人看见"一下打死七个"几个字，以为裁缝打死的是七个人，对于那个小伙子才稍微有点敬意。不过他还要考验他一下，就拿起一块石头，紧紧捏着，滴出水来。巨人说："如果你有力气，就照我一样做吧。"

小裁缝说："只是这样吗？这在我是一件容易的事情。"他把手伸到口袋里，拿出那块软干酪，捏得汁水直朝外流。他说："这不是比你做得还好些吗？"

巨人没话好说，但是不相信这是矮子能做的事情。巨人就拾起一块石头，朝上扔得非常之高，眼睛几乎看不见。"唔，你这个跟小鸭子一样的家伙，照我一样做吧。”

裁缝说：“扔得好，但是石头还是要落到地上的。我要扔一个给你看，叫它简直不回来。”他拿出口袋里的鸟往上一扔。那鸟得到自由，非常欢喜，朝着高处飞去，不再回来了。裁缝问道：“伙计，你觉得这件事情怎样？”

巨人说：“扔东西你是会的，但是要看看你是不是扛得起重东西。”他引小裁缝到一棵倒在地上的大橡树旁边，说：“如果你有力气，就帮助我把这棵树从树林里扛出去吧。”

裁缝回答说：“愿意，你把树身放到你的肩头，我要把大小树枝举起扛着，那头是最重的了。”

巨人把树身放到肩头，但是裁缝坐在一根粗枝子上面，巨人不能回头看，就把整棵的树和小裁缝扛着走。小裁缝在后面十分高兴，唱着“三个裁缝骑马出大门”的小调，好像扛树是一件容易事情。巨人扛着沉重的负担走了一段路，实在走不动了，叫道：“听着，我要把树放下了。”裁缝敏捷地跳下来，双臂抱着树，好像扛着它的样子，对巨人说：“你是很高大的人，但是连这棵树都抬不动。”

他们一起前进，走过一棵樱桃树跟前，巨人抓住结着熟樱桃的树顶，把它弯了下来，交到裁缝手里，叫他吃上面的樱桃。但是裁缝力气太小，抓不住那棵树，巨人一放手，树顶便弹回原处，裁缝也被扔到空中。他落到地上，没有受伤，巨人说：“怎样，你没有力气抓住这根很细的树枝吗？”

小裁缝回答说：“不是没有力气，你以为一下打死七个的人是这样的吗？因为猎人在下面丛林里面射击，所以我跳过树去。如果你能够的话，就同我一样跳跳看。”

巨人试了一试，但是跳不过去，却挂在树枝当中，于是裁缝又赢了他。

巨人说："如果你是这样勇敢的一个小伙子，那么同我一起到洞里去过夜吧。"小裁缝同意了，跟着他去，到了洞里。洞里还有别的巨人坐在火旁边，每人啃着一只烤熟的羊。小裁缝四周看看，心里想："这里比我的裁缝店大得多了。"

巨人指给他一张床，叫他躺着睡觉。裁缝觉得床太大了，不上去睡，却只蜷伏在一个屋角落里。半夜的时候，巨人以为小裁缝睡熟了，起来拿了一根大铁棍，一下把床打断，以为把这草虫的性命也结果了。大清早，巨人们到森林里去，把小裁缝完全忘记。小裁缝非常高兴，也大胆地到那里去。巨人们大吃一惊，怕他把他们都打死，都急急忙忙地跑开了。

小裁缝总是一直朝前走。他游历了好久以后，走到一座王宫的院子里，因为他觉得疲倦，躺到草里睡着了。他睡着的时候，人们从四面八方打量他，看到带子上写的几个字：一下打死七个。

他们说："啊嘿，在和平时期，这个伟大的战斗英雄来这里做什么？他一定是个非常人物。"

他们去报告国王，说如果发生战事，他就是一个重要有用的人，千万不要让他走了。国王觉得不错，就派了一个朝臣到小裁缝那里去。一直等到他伸展四肢，张开眼睛，朝臣才把自己的任务告诉他。

小裁缝回答说："正因为这个缘故，我才到这里来的，我愿意为国王服务。"于是他受到光荣的接待，又得到一幢特别的住宅。

但是别的士兵却同这个小裁缝作对，希望把他打发到千里以外去。他们互相谈论，说："如果我们同他争论，他打起来，一下就要打死七个，我们没有一个能够抵抗。那怎么办呢？"于是他们决定，一起到国王那里去辞职。

他们说："我们不能同一下打死七个的人一起做事。"

国王很伤心，为了这一个人，竟要失去所有忠心的士兵，他希望再不看见他，很想把他打发走。但是他又不敢辞掉他，因为怕他把他和他所有的百姓都打死了，自己去坐王位。他想来想去，想了好久，最后找到一条妙计。他派人到小裁缝那里去对他说，因为他是一个非常伟大的英雄，他要给他一项任务。国内一个森林里面有两个巨人，他们抢劫偷盗，杀人放火，造成巨大的损害，人们要冒着生命的危险，才敢走近他们。如果小裁缝能够制服并且杀掉这两个巨人，国王就把他的独养女儿嫁给他，并且把半个王国给女儿作陪嫁，另外，国王还派一百骑兵去帮助他。

小裁缝想："像我这样的人，正应该得到这些东西。一个美丽公主和半个王国，这种机会不是每天都有的。"

他回答说："哦，好吧，两个巨人我一定要制服，不过一百骑兵可以不要；一下就打死七个的人，还用怕两个吗？"

小裁缝出城去，一百个骑兵还是跟着他。他走到森林边缘，对他的同伴说："你们留在这里，我要独自去结果那两个巨人。"

接着他跳到森林里面，左右观望。过了一会，他看见两个巨人躺在一棵树下面睡觉，鼾声把树枝震得上下摇动。小裁缝赶快捡了满满两口袋石头，带到树上去。他到了树上，骑在一根枝子上，正坐在睡觉的巨人上面，把石头一块一块地向其中一个巨人的胸口丢下去。巨人好久都感觉不到，最后醒了，撞撞他的同伴说："你为什么打我？"

另一个说："你在做梦吧，我没有打你。"

他们又躺着睡觉。这时，裁缝对着第二个巨人摔下一块石头。

第二个叫道："咋的？你为什么打我？"

第一个回答说："我没有打你。"他嘴里叽里咕噜的。

他们吵了一会，因为疲倦，也就算了，又闭上眼睛。小裁缝重新开始他的游戏，拣了一块最大的石头，用尽一切力气朝第一个巨人的胸口摔下去。

这巨人叫道:“这太可恶了。”于是他好像疯子一样跳起来,把他的同伴朝树上撞去,树都发抖了。另一个用同样的手段对付自己的同伴,他们非常愤怒,拔起树来,互相乱打,打了很久,最后两个人同时倒在地上死了。

裁缝跳下树来,说:“幸亏他们没有拔我坐着的那棵树,不然,我就只好同松鼠一样地跳到别棵树上去,像我这样的人跳起来是很快的!”他拔出剑,用力在每人胸口砍了几下,然后走到森林外面,对骑兵们说:“任务完成了,我把两个巨人都杀了。这项工作很艰巨,他们到了没法子的时候,拔起树来抵抗,但是我这一下打死七个的人来了,一切也都没有用了。”

骑兵问:“难道你没有受伤吗?”

裁缝回答说:“事情进行得很顺利,我一点都没有受伤。”骑兵不相信他的话,到森林里面去,只见两个巨人浸在血泊中,周围放着拔出来的树。

裁缝向国王要求他答应给他的东西。但是国王后悔原先的诺言,想重新想法子赶走这个英雄。国王对他说:“你还要完成一件英雄事业,才能得到我的女儿和半个王国。森林里面有个独角兽,危害极大。你应该先把它捉住。”

“一只独角兽还没有两个巨人可怕呢,一下打死七个才是我的事情。”他带着一根绳子和一把斧头到森林里面去,又叫听他调遣的人在外面等着。他没有寻找多久,独角兽就出现了,直向裁缝扑来,好像毫不客气地要用角戳他的样子。裁缝说:“慢慢地,慢慢地,这样快不行。”他等野兽走近,很敏捷地跳到树后面。独角兽用全力向树撞去,把角戳到树身里面,紧牢得拔不出来了。就这样,独角兽动都不能动了。裁缝说:“现在我得到这个鸟儿了。”他从树后面出来,先把绳子系住独角兽的脖子,然后用斧头把树劈开,挖出角来。他把一切都办好后，牵着兽去送给国王。

国王不愿意把讲定的报酬给他，又提出第三项条件，说要裁缝捉住一只在森林里面给他造成巨大损害的野猪才能兑现他的承诺，并且叫猎人们去帮助他。

裁缝说："很愿意，这是一件容易事情。"

他不带猎人们到森林里面去。猎人们自然高兴，因为野猪已经"欢迎"了他们许多次，他们不愿意再去追它了。

野猪一看到裁缝，满嘴白沫，磨着牙齿，向他跑来，要把他撞倒在地上。但是敏捷的英雄跳到附近一个小教堂里，马上又从上面窗户里跳出来。野猪跟在他后面跑，他在教堂外面转了一个圈子，把门关上，那狂暴的野兽便被关起来了，它身体太笨重，不能从窗户里跳出来。小裁缝喊猎人们来，叫他们亲自看被捕的野猪。英雄到国王那里去，不管国王愿意不愿意，这回他非要国王兑现承诺不可了。国王只好把他的女儿和半个王国交给他。如果他知道站在他面前的不是一个英雄，只是一个小裁缝，那他更要伤心了。不管怎样，在盛大铺张和极少欢乐之中举行了结婚典礼，裁缝做了新国王。

过了不久，少年王后在夜里听见丈夫说梦话："徒弟，给我做贴身短袄，给我补裤子，不然，我就要用尺打你的耳光。"于是她知道了丈夫的出身，第二天早晨向老国王说出她的痛苦，请国王把自己从裁缝丈夫手里解放出来。

老国王安慰她说："今天夜里你把卧房的门开着，我叫佣人们站在门外面，如果他睡着了，他们进去把他捆着，抬到一条船上，送到遥远的地方去。"

公主很高兴，但是老国王的一个卫兵听到了这一切。因为他很佩服这位小裁缝，就把国王的全部阴谋都告诉了他。

小裁缝说："我会防备这件事情的。"晚上，他在平常睡觉的时间，同妻子一起上了床。她以为他睡着了，就起来开门，然后又躺下。小裁缝假装睡着，用清楚的声音叫道："徒弟，给我做贴身短袄，给我补裤子，不然，我就要用尺打你的耳光！我一下打死了七个，杀了两个巨人，牵走了一只独角兽，难道还怕站在房门外面的人吗！"

在房门口的那些人听见裁缝这样说，大吃一惊，赶快跑了，好像魔王领着大军赶来似的，没有一个人敢到他跟前去。于是裁缝做了一辈子的国王。

（魏以新译）

导读

格林兄弟是指雅各·格林（1785—1863）和他的弟弟威廉·格林（1786—1859），因两人均为德国语言学家和童话集大成者，故世称"格林兄弟"。他们从1806年起一同深入民间，搜集、整理德国民间童话故事，终于于1812年和1815年先后分两卷出版了《儿童与家庭童话集》，即后人通称的《格林童话》，共收有民间童话故事200多篇。格林兄弟在这两卷童话集中所表现出的"批判的敏锐眼光"和"正确选择的鉴赏能力"，以及驾驭传统童话文体的本领，得到了恩格斯的充分肯定。为了便于孩子们阅读，1819年，格林兄弟将初版时所附有的考证文字全部删去，重新出版的格林童话集保持了民间童话的思想、主题和基调，再现了民间童话的神魔世界、奇幻的特性和德意志民间童话的民族特点：质朴、机智和幽默。

说到格林童话，人们会自然地想起《白雪公主》《灰姑娘》《狼和七只小山羊》等童话名篇。但在丰富多彩的格林童话中，还有像《勇敢的小裁缝》这样描写小裁缝勇敢得出奇的故事，它也是格林童话中流传较为广泛的童话之一。童话通过小裁缝打败巨人、独角兽、野猪以至最后成为国王的故事，充分说明了智慧和勇敢是人们战无不胜的法宝，指出人世间本无卑贱与高贵之分，平民百姓通过自己的努力照样可以登上国王的宝座。作品情节生动有趣，格调轻松欢快，语言诙谐幽默，具有很强的艺术感染力。

【丹麦】安徒生

丑小鸭

乡下真是非常美丽。这正是夏天！小麦是金黄的，燕麦是绿油油的。干草在绿色的牧场上堆成垛，鹳鸟用他又长又红的腿子在散着步，啰嗦地讲着埃及话。[1] 这是他从妈妈那儿学到的一种语言。田野和牧场的周围有些大森林，森林里有些很深的池塘。的确，乡间是非常美丽的。太阳光正照着一幢老式的房子，它周围流着几条很深的小溪。从墙角那儿一直到水里，全盖满了牛蒡的大叶子。最大的叶子长得非常高，小孩子简直可以直着腰站进去。像在最浓密的森林里一样，这儿也是很荒凉的。这儿有一只母鸭坐在窠里，她得把她的几个小鸭都孵出来。不过这时她已经累坏了。很少有客人来看她。别的鸭子都愿意在溪流里游来游去，而不愿意跑到牛蒡下面来和她聊天。

最后，那些鸭蛋一个接着一个地崩开了。“噼！噼！”蛋壳响起来，所有的蛋黄现在都变成了小动物。他们都把小头伸出来。

“嘎！嘎！”母鸭说。他们也就跟着“嘎嘎”地大声叫起来。他们在绿叶子下面向四周看。妈妈让他们尽量地东张西望，因为绿色对他们的眼睛是有好处的。

“这个世界真够大！”这些年轻的小家伙们说。的确，比起他们在蛋壳里的时候，他们现在的天地真是大不相同了。

“你们以为这就是整个世界！”妈妈说，“这地方伸到花园的另一边，一直伸到牧师的田里去，才远呢！连我自己都没有去过！我想你们都在这儿吧？”她站起来。“没有，我还没有把你们生齐呢！这只顶

---

① 因为据丹麦的民间传说，鹳鸟是从埃及飞来的。

大的蛋还躺着没有动静。它还得躺多久呢？我真是有些烦了。”于是她又坐下来。

“唔，情形怎样？”一只来拜访她的老鸭子问。

“这个蛋费的时间真长久！”坐着的母鸭说，“它老是不裂开。请你看看别的吧。他们真是一些最逗人爱的小鸭儿！他们都像他们的爸爸——这个坏东西从来没有来看过我一次！”

“让我瞧瞧这个老是不裂开的蛋吧，”这位年老的客人说，“请相信我，这是一只吐绶鸡的蛋。有一次我也同样受过骗，你知道，那些家伙不知道给了我多少麻烦和苦恼，因为他们都不敢下水。我简直没办法叫他们在水里试一试。我好说歹说，一点用也没有！——让我来瞧瞧这只蛋吧。哎呀！这是一只吐绶鸡的蛋！让它躺着吧，你尽管叫别的孩子去游泳好了。”

“我还是在它上面多坐一会儿吧，”鸭妈妈说，“我已经坐了这么久，就是再坐它一个星期也没有关系。”

“那么就请便吧，”老鸭子说。于是她就告辞了。

最后这只大蛋裂开了。“噼！噼！”新生的这个小家伙叫着向外爬。他是又大又丑。鸭妈妈瞧了他一眼。“这个小鸭子大得怕人，”她说，“别的没有一个像他，但是他一点也不像小吐绶鸡！好吧，我们马上就来试试看吧。他得到水里去，我踢也要把他踢下水去。”

第二天的天气是又晴和，又美丽。太阳照在绿牛蒡上。鸭妈妈带着她所有的孩子走到溪边来。“扑通！”她跳进水里去了。“嘓嘓！”她叫着，于是小鸭子就一个接着一个跳下去。水淹到他们头上，但是他们马上又冒出来了，游得非常漂亮。他们的小腿很灵活地划着。他们全都在水里，连那个丑陋的灰色小家伙也跟着他们在一起游。

“唔，他不是一个吐绶鸡，”她说，“你看他的腿划得多灵活，他浮得多么地稳！他是我亲生的孩子！如果你把他仔细看一看，他还算长得蛮漂亮呢。'嘎！嘎！'跟我一块儿来吧，我把你们带到广大的世界里去，把那个养鸡场介绍给你们看看。不过，你们得紧贴着我，免得别人踩着你们。你们得当心猫儿呢！"

这样，他们就到养鸡场里来了。场里起了一阵可怕的喧闹声，因为有两个家族正在争一个鳝鱼头，而结果是猫儿把它抢走了。

"你们瞧，世界就是这个样子！"鸭妈妈说。她的嘴流了一点涎水，因为她也想吃那个鳝鱼头。"现在使用你们的腿吧！"她说，"你们拿出精神来。你们如果看到那儿的一个老母鸭，你们就得把头低下来，因为她是这儿最有声望的一个人物。她有西班牙的血系——因为她长得非常胖。你们看，她的腿上有一块红布条。这是一件非常出色的东西，也是一个鸭子可能得到的最大光荣。她的意义很大，说明人们不愿意失去她，动物和人统统都得认识她。打起精神来吧——不要把腿缩进去。一个有很好教养的鸭子总要把腿摆开的，像爸爸和妈妈一样。好吧，低下头来，说'嘎'呀！"

他们这样做了。别的鸭子站在旁边看着，同时用相当大的声音说：

"瞧！我们现在又来了这批找东西吃的客人，好像我们的人数还不够多似的！呸！瞧那只小鸭的一副丑相！我们真看不惯！"于是马上有一只鸭子飞过去，在他的颈上啄了一下。

"请你们不要管他吧，"妈妈说，"他并不伤害谁呀！"

"对，不过他长得太大、太特别，"啄过他的那只鸭子说，"因此他必须挨打！"

"那个母鸭的孩子都很漂亮，"腿上有一条红布的那个母鸭说，"他们都很漂亮，只有一只是例外。这真是可惜。我希望能再把他孵一次。"

"那可不能，太太，"鸭妈妈回来说，"他不好看，但是他的脾气非常好。他游起水来也不比别人差——我还可以说,游得比别人好呢。我想他会慢慢长得漂亮的,或者到适当的时候,他也可能缩小一点,他在蛋里躺得太久了,因此他的模样有点不太自然。”她说着,同时在他的颈上啄了一下,把他的羽毛理了一理。“此外,他还是一只公鸭呢,”她说,“所以关系也不太大。我想他的身体很结实,将来总会自己找到出路的。”

“别的小鸭倒很可爱,”老母鸭说,“你在这儿不要客气,如果你找到鳝鱼头,请把它送给我好了。”

他们现在在这儿,就像在自己家里一样。

不过从蛋壳里爬出的那只小鸭太丑了,到处挨打,被排挤,被讥笑,不仅在鸭群中是这样,连在鸡群中也是这样。

“他真是又粗又大!”大家都说。有一只雄吐绶鸡生下来脚上就有距,因此他自以为是一个皇帝。他把自己吹得像一条鼓满了风的帆船,来势汹汹地向他走来,瞪着一双大眼睛,脸上涨得通红。这只可怜的小鸭不知道站在什么地方,或者走到什么地方去好。他觉得非常悲哀,因为自己长得那么丑陋,而且成了全体鸡鸭的一个嘲笑对象。

这是头一天的情形。后来一天比一天糟。大家都要赶走这只可怜的小鸭;连他自己的兄弟姊妹也对他生起气来。他们老是说:“你这个丑妖怪,希望猫儿把你抓去才好!”于是妈妈也说起来:“我希望你走远些!”鸭儿们啄他,小鸡们打他,喂鸡鸭的那个女佣人用脚来踢他。

于是他飞过篱笆逃走了。灌木林里的小鸟一见到他,就惊慌地向空中飞去。“这是因为我太丑了!”小鸭想。于是他闭起眼睛,继续往前跑。他一口气跑到了一块住着野鸭的沼泽地。他在这儿躺了一整夜,因为他太累了,太丧气了。

天亮的时候,野鸭都飞起来了。他们瞧了瞧这位新来的朋友。

"你是谁呀?"他们问。小鸭一下转向这边,一下转向那边,尽量对大家恭恭敬敬地行礼。

"你真是丑得厉害,"野鸭们说,"不过只要你不跟我们族里任何鸭子结婚,对我们倒也没有什么大的关系。"可怜的小东西!他根本没有想到结什么婚,他只希望人家准许他躺在芦苇里,喝点沼泽的水就够了。

他在那儿躺了两个整天。后来有两只雁——严格地讲,应该说是两只公雁,因为他们是两个男的——飞来了。他们从娘的蛋壳里爬出来还没有多久,因此他们非常顽皮。

"听着,朋友,"他们说,"你丑得可爱,连我[①]都禁不住要喜欢你了。你做一个候鸟,跟我们一块儿飞走好吗?离这儿很近,另外有一块沼地,那里有好几只甜蜜可爱的雁儿。她们都是小姐,都会说:'嘎。'你是那么丑,可以跟她们碰碰你的运气!"

"噼!啪!"天空中发出一阵响声。这两只公雁落到芦苇里,死了,把水染得鲜红。"噼!啪!"又是一阵响声。整群的雁儿都从芦苇里飞起来,于是又是一阵枪声响起来了。原来有人在大规模地打猎。猎人都埋伏在这沼泽地的周围,有几个人甚至坐在伸到芦苇上空的树枝上。蓝色的烟雾像云块似地罩着这些黑树,慢慢地在水面上向远方飘去。这时,猎狗都"扑通扑通"地在泥泞里跑过来,灯芯草和芦苇向两边倒去。这对于可怜的小鸭来说真是可怕的事情!他把头掉过来,藏在翅膀里。不过正在这时候,一只骇人的大猎狗紧紧地站在小鸭的身边。他的舌头从嘴里伸出很长,眼睛发出丑凶和可怕的光。他把鼻子顶到这小鸭的身上,露出了尖牙齿,可是——"扑通!扑

① 这儿的"我"(jeg)是单数,跟前面的"他们说"不一致,但原文是如此。

通！”——他跑开了，没有把他抓走。

“啊！谢谢老天爷！”小鸭叹了一口气，“我丑得连猎狗也不要咬我了。”

他安静地躺下来。枪声还在芦苇里响着，枪弹一发接着一发地射出来。

天快要暗的时候，四周才静下来。可是这只可怜的小鸭还不敢站起来。他等了好几个钟头，才敢向四周望一眼，于是他急忙跑出这块沼地，拼命地跑，向田野上跑，向牧场上跑。这时吹起一阵狂风，他跑起来非常困难。

到天黑的时候，他来到一个简陋的农家小屋。它是那么残破，它不知道应该向哪一边倒才好——因此它也就没有倒。狂风在小鸭身边号叫得非常厉害，他只好面对着它坐下来。它越吹越凶。于是他看到那门上的铰链有一个已经松了，门也歪了，他可以从空隙钻进屋子里去，于是他便钻进去了。

屋子里有一个老太婆和她的猫儿，还有一只母鸡住在一起。她把这只猫儿叫“小儿子”。他能把背拱得很高，发出“喵喵”的叫声来；他的身上还能迸出火花，不过要他这样做，你得反拂着他的毛。母鸡的腿又短又小，因此她叫“短腿鸡儿”。她生下的蛋很好，所以老太婆把她爱得像自己的亲生儿子一样。

第二天早晨，人们马上注意到了这只来历不明的小鸭。那只猫儿开始“喵喵”地叫，那只母鸡也“咯咯”地喊起来。

“这是怎么一回事儿？”老太婆说，同时朝四周看。不过她的眼睛有点花，所以她以为小鸭是一只肥鸡，走错了路，才跑到这儿来了。“这真是少有的运气！”她说，“现在我可以有鸭蛋了。我只希望他不是一只公鸭才好！我们得弄个清楚！”

这样，小鸭就在这里受了三个星期的考验，可是他什么蛋也没有生下来。那只猫儿是这家的绅士，那只母鸡是这家的太太，所以他们一开口就说："我们和这世界！"因为他们以为他们就是半个世界，而且还是最好的那一半呢。小鸭觉得自己可以有不同的看法，但是他的这种态度，母鸡却忍受不了。

"你能够生蛋吗？"她问。

"不能！"

"那么就请你不要发表意见。"

于是雄猫说："你能拱起背，发出"喵喵"的叫声和迸出火花吗？"

"不能！"

"那么，当有理智的人在讲话的时候，你就没有发表意见的必要！"

小鸭坐在一个墙角里，心情非常不好。这时他想起了新鲜空气和太阳光。他觉得有一种奇怪的渴望：他想到水上去游泳。最后他实在忍不住了，就不得不对母鸡把心事说出来。

"你在起什么念头？"母鸡问，"你没有事可干，所以你才有这些怪念头。你只要生几个蛋，或者'喵喵'地叫几声，那么你这些怪念头也就会没有了。"

"不过，在水里游泳是多么痛快呀！"小鸭说，"让水淹在你的头上，往水里一钻，那是多么痛快呀！"

"是的，那一定很痛快！"母鸡说，"你简直在发疯。你去问问猫儿吧——在我所认识的朋友当中，他是最聪明的——你去问问他喜欢不喜欢在水上游泳，或者钻进水里去。我先不讲我自己。你去问问你的主人——那个老太婆——吧，世界上再也没有比她更聪明的人了！你以为她想去游泳，让水淹在她的头顶上吗？"

"你们不了解我，"小鸭说。

"我们不了解你？那么请问谁了解你呢？你决不会比猫儿和女

主人更聪明吧——我先不提我自己。孩子,你不要自以为了不起吧!你现在得到这些照顾,你应该感谢上帝。你现在到一个温暖的屋子里来,有了一些朋友,而且可以向他们学习很多的东西,不是吗?不过你是一个废物,跟你在一起真不痛快。你可以相信我,我对你说这些不好听的话,完全是为了帮助你呀。只有这样,你才知道谁是你的真正朋友!请你注意学习生蛋,或者'喵喵'地叫,或者迸出火花吧!"

"我想我还是走到广大的世界里去好,"小鸭说。

"好吧,你去吧!"母鸡说。

于是小鸭就走了。他一会儿在水上游,一会儿钻进水里去;不过,因为他的样子丑,所有的动物都瞧不起他。秋天来了。树林里的叶子变成了黄色和棕色。风卷起它们,把它们带到空中飞舞,而空中是很冷的。云块沉重地载着冰雹和雪花,低低地悬着。乌鸦站在篱笆上,冻得只管叫:"呱呱。"是的,你只要想想这情景,也就会觉得冷了。这只可怜的小鸭的确没有一个舒服的时候。

一天晚上,当太阳正在美丽地下落的时候,有一群漂亮的大鸟从灌木林里飞出来,小鸭从来没有看到过这样美丽的东西。他们白得放亮,颈又长又柔软。这就是天鹅。他们发出一种奇异的叫声,展开他们美丽的长翅膀,从寒冷的地带飞向温暖的国度,飞向不结冰的湖上去。

他们飞得很高——那么高,丑小鸭不禁感到一种说不出的兴奋。他在水上车轮似地不停地转着,同时把自己的颈高高地向他们伸着,发出一种响亮的怪叫声,连他自己也害怕起来。啊!他再也忘记不了这些美丽的鸟儿,这些幸福的鸟儿。当他看不见他们的时候,他就沉入水底;但是当他再冒到水面上来的时候,他就感到非常空虚。他不知道这些鸟儿的名字,也不知道他们要向什么地方飞去。不过他爱他们,好像他从来还没有爱过什么东西似的。他并不嫉妒他们。

他怎能梦想有他们那样美丽呢？只要别的鸭儿准许他跟他们生活在一起，他就已经很满意了——可怜的丑东西。

冬天变得很冷，非常冷！小鸭不得不在水上游来游去，免得水面完全冻结成冰。不过他游动的这个小范围，一晚比一晚缩小。水冻得厉害，人们可以听到冰块的碎裂声。小鸭只好用他的一双腿不停地游动，免得水完全被冰封闭。最后，他终于倒了，躺着一动也不动，跟冰块结在一起。

大清早，有一个种田人从这儿经过。他看到了这小鸭，就走过去用木屐把冰块踏破，然后把他抱回来，送给他的女人。他这时才渐渐地恢复了知觉。

小孩子们都想要跟他玩，不过小鸭以为他们想要伤害他。他一害怕就跳到牛奶盘里去了，把牛奶溅得满屋子都是。女人惊叫起来，拍着双手。这么一来，小鸭就飞到黄油盆里去了，然后又飞进面粉桶里去了，最后才爬出来。这时他的样子才好看呢！女人尖叫起来，拿着火钳要打他。小孩们挤作一团，想抓住这小鸭。他们又是笑，又是叫！——幸好大门是开着的。他钻进灌木林中新下的雪里。他躺在那里，几乎像昏倒了一样。

要是只讲他在这严冬所受的困苦和灾难，那么这个故事也就太悲惨了。当太阳又开始温暖地照着的时候，他正躺在沼泽的芦苇里。百灵鸟唱起歌来了——这是一个美丽的春天。

忽然间他举起他的翅膀：它们拍起来比以前有力得多，马上就把他托起来飞走了。他不知不觉地已经飞进了一座大花园。这儿苹果树正开着花；紫丁香在散发着香气，它又长又绿的枝条垂到弯弯曲曲的溪流上。啊，这儿美丽极了，充满了春天的气息！三只美丽的白天鹅从树荫里一直游到他面前来。他们轻飘飘地浮在水上，羽毛发出“飕飕”的响声。小鸭认出这些美丽的动物，于是心里感到一种说不出的难过。

“我要飞向他们，飞向这些高贵的鸟儿！可是他们会把我弄死，因为我是这样丑，居然敢接近他们。不过这没有什么关系！这比被他们打死，被鸭子咬，被鸡群啄，被看管养鸡场的那个女佣人踢和在冬天受苦要好得多！”于是他飞到水里，向这些美丽的天鹅游去：这些动物看到他，马上就竖起羽毛向他游来。“请你们弄死我吧！”这只可怜的动物说。他低低地把头垂到水上，只等待着死。但是他在这漂亮的水上看到了什么呢？他看到了自己的倒影。但那不再是一只粗笨的、深灰色的、又丑又令人讨厌的鸭子，而是一只天鹅！

只要你是一只天鹅蛋的种子，就算你是生在养鸡场里也没有什么关系。

对于他过去所受的不幸和苦恼，他现在感到非常高兴。他现在清楚地认识到幸福和美好正在向他招手——许多大天鹅在他周围游泳，用嘴来亲他。

花园里来了几个小孩子。他们向水上抛来许多面包片和麦粒。最小的那个孩子喊道：

“你们看那只新天鹅！”别的孩子也兴高采烈地叫起来：“是的，又来了一只新的天鹅！”于是他们拍着手，跳起舞来，向他们的爸爸和妈妈跑去。他们抛了更多面包和糕饼到水里，同时对大家说：“这新来的一只最美！那么年轻，那么好看！”那些老天鹅不禁在他面前低下头来。

他感到非常难为情。他把头藏到翅膀里面去，不知道怎么办才好。他感到太幸福了，但他一点也不骄傲，因为一颗好的心是永远不会骄傲的。他想起他曾经怎样被人迫害和讥笑过，而他现在却听到大家说他是美丽的鸟中最美丽的一只鸟儿。紫丁香在他面前把枝条垂到水里去。太阳照得很温暖，很愉快。他皱起他的羽毛，伸出他细

长的颈,从内心发出一个快乐的声音:

“当我还是一只丑小鸭的时候,我做梦也没有想到会有这么多的幸福!”

(叶君健译)

导读

安徒生(1805—1875)是全世界的儿童都熟悉并爱戴的名字,他是被公认的世界上成就最高、影响最深远的童话大师,他的童话作品是世界儿童文学史上无比珍贵的财富。然而,人们不一定都清楚,这位19世纪第一个赢得世界声誉的丹麦作家,却出身于社会的底层。他父亲是个穷鞋匠,母亲是个洗衣工,家里穷得连张床也没有。他小时候没法上学,当过学徒。在父亲病故、母亲改嫁后,他为了谋生,到了首都哥本哈根,在皇家剧院当杂役。他22岁那年,有些艺术家见他勤奋好学,帮他申请了助学金。他才有机会进入哥本哈根大学深造。他在那里刻苦攻读,博览文学名著,进一步提高了自己的创作能力。安徒生在当杂役时,就开始进行文学创作,先写戏剧,后写诗与小说。在引起世人注目的1835年,他却突然宣称:“我现在要开始写给孩子们看的童话了,我要争取未来的一代。”并说“这才是不朽的工作”。从此,他便全身心地投入童话创作之中,这一年就出版了他第一个童话集《讲给孩子们听的故事》。以后,安徒生几乎每年都将一本童话作为精美的礼物,馈赠给正在过圣诞节的儿童。就这样,他一共写了168篇童话。他的童话为他的名字增添羽翼,使他的名字从北欧飞向全世界,万古流芳。

《丑小鸭》是安徒生写于1844年的一篇童话代表作,也是安徒生把自己的身世、自己少年时代的遭际和奋斗作为艺术对象来表现的最典型的作品。由于他出身卑微低贱,不免屡经坎坷。残酷的现实,让他学会了在逆境中寻求精神上的解脱。据说,当时曾有两位女性对具有诗人气质的安徒生的爱情追求给予了悲剧性的回答,这几乎使敏感而脆弱的诗人无法承受(安徒生终身未娶)。《丑小鸭》就是在这种心情下写成的,这实际上是一篇带有自画像性质的作品。他把自己比作一个处处受到精神打击的丑小鸭(求婚的失败就是其中的一个),虽然“丑得厉害”,却心怀壮志,坚韧不屈,追求不懈,终于变成了“年轻”“好看”“最美”的白天鹅。童话所独具的人格力量,具有很强的艺术感染力。《丑小鸭》被看作安徒生童话中的“言志篇”。“只要你是一只天鹅蛋,就算是生在养鸡场里也没有什么关系。”这句话成了鼓舞人们不向逆境屈服的格言和座右铭。“丑小鸭”成了千古不朽的文学形象和文学典型,它的内涵将永远鼓舞人们不在庸人的讪笑中停止自己前进的脚步。

【丹麦】杨斯·西斯高尔德

世界上只有小巴列一个人

早晨。

睡在小床上的小巴列醒过来。

大概是他醒得太早了，所以屋里静悄悄的，一点声音也没有。不过，阳光已经从窗口照了进来，所以他也不想再睡了。

巴列踮着脚尖，轻轻儿往走道上走。他走到了爸爸妈妈的房门口。

他轻轻把门推开一条缝，往卧室里瞅了瞅。没人。

小巴列走到妈妈的床边，一看床上空荡荡的。没人。

接着他走到爸爸的床边，可爸爸的床上也没有人。

妈妈爸爸都上哪儿去了呢？

小巴列回到自己的房间来。

但他已经不想再上床躺着去了。对，还是穿上衣服，到院子里去玩吧。

巴列已经能自己穿衣服了，他已经十足是大孩子了。

但是洗脸他可不太喜欢，于是只抹了抹鼻子尖，就算洗过脸了。

接着，巴列到餐室里去，穿过餐室他走进厨房，但爸爸妈妈也没在厨房里。

这就好玩儿了——这一家只有小巴列一个人了！

巴列下了楼梯，出了门。

以往，爸爸妈妈不答应是不许他出门玩的，可这会儿爸爸妈妈全不在呀。巴列去找他的爸爸妈妈。

就在门口正对过，停着一辆电车。

巴列往电车里瞧了瞧，电车里什么人也没有，连售票员和驾驶员也不在。

这些人都到哪儿去了呢？

巴列走进牛奶馆。他跟牛奶销售员阿姨可熟啦。但柜台那儿没有那位阿姨，而且，整个店里没有一个人来买牛奶。

整条街空荡荡的，一片静悄悄。没有开来开去的汽车，电车停着。

街上一个行人也没有。

整个阳光照耀的世界上，就只有小巴列一个人……

巴列一家店一家店地走串着，但是什么人也没有，所有的人都一下子无影无踪了。

在糖果店里，巴列抓了一把巧克力填在嘴里。

不用人说，他也知道他这样做不好，不过，既然这世界上就剩他一个人了，那么还有谁来骂他呢？

巴列于是觉得，世界上只剩他一个人，很好。

他走进水果店，大口大口地啃起苹果来。但都没吃完就扔了，接着，往自己衣袋里塞了两个橙子。

然而，这些人究竟都到哪儿去了呢？

角落里还停着一辆电车，这是二路电车。

巴列走进电车，在驾驶员的位子上坐下来。

巴列转动方向盘，就像他是电车驾驶员似的。

丁零！电车开动了。巴列心里很害怕，可这没关系。因为现在他是真的电车驾驶员了，于是他的电车飞也似的往前开。

巴列戴上电车驾驶员的制帽。这制帽太大了，帽檐碰到了他的鼻子尖。巴列伸脚去踩铃铛，可是踩不着，他就自个儿用嘴叫着：

“丁零——丁零！”

其实,这根本用不着,这街上不是一个人都没有嘛。

巴列高兴极了,世界上只剩下一个人太好了!现在他想要干什么就干什么了。

电车向中心广场飞快地驰去。忽然,巴列这时看见前面电车道上停着另一辆电车!

巴列一跟头从座位上摔到了马路边。

还好,他没摔伤,可电车全撞了个稀巴烂。现在再也不能开着它往前跑了。不过,要是巴列想继续往前跑,他完全可以开动其他的无论哪一辆电车——电车在街上多的是。

……巴列走进公园。他常跟小朋友一道到这里来玩的。

他直接从草坪上穿过去。巴列清清楚楚地看见木牌上写着:

请勿踩踏
草　坪

可是世界上只剩下他一个人,哪还有什么允许不允许呢?

儿童游乐场上支着一架跷跷板。一个人玩不起来:谁坐在跷跷板的那一头呢?

嗨,要是盖丽达和尼尔斯在这里该有多好哇!

巴列接着往前走,抬头看见一座漂亮的大电影院,这里,天天放映各种有趣的电影。巴列走进了电影院。

没有人向巴列要电影票,但是电影院里黑咕隆咚的,什么电影也没有。

要是世界上只剩下巴列一个人,另外什么人都没有,那么还有谁来放电影呢?

……原来,世界上只剩下一个人并不快活。

巴列很想念他的小伙伴们了,很想念爸爸妈妈了。

特别思念妈妈。

巴列坐进一辆漂亮的小车，满城地跑了起来：奇怪，突然之间这些人都到哪儿去了呢？

最后，巴列开着车来到飞机场。

那里停着一架银亮银亮的飞机。

巴列坐进了飞机座舱，把飞机直往高处开，很高很高。

飞机升呀升呀，直升到星星边。猛地，飞机撞上了什么了。不用说，这是撞到月亮了。

可怜的巴列，他头朝地“哧溜”直往下掉……

巴列放开嗓门大叫起来，就醒了。他躺在自己的小床上。

原来，刚才这一切只不过是一场梦！

这时他妈妈走了进来。

“巴列，你怎么啦？刚才为什么哭？”

“喔，妈妈，我做梦了，梦见世界上只剩我一个人了！我想做什么就做什么，可一个人太孤单，太难受了……好在，我只是做了一个梦！”

小巴列一下子坐了起来，穿上衣服。瞧，他到公园去了。这会儿他正跟他的小伙伴们在游乐场上玩哩。

大伙一起玩该多高兴啊！

（韦苇译）

导读

杨斯·西斯高尔德（1910—?）是丹麦当代著名的幼儿教育家、儿童文学作家。《世界上只有小巴列一个人》（1957）是被全世界公认的幼儿文学精品，对于成人也是一篇意味深长的作品。童话的幻想可谓大胆而巧妙，刚刚获得自由和好运气的小巴列还没有享受到这突如其来的快乐时，他就感到了世界上只有他一个人不但快活不起来，反而很可怕。小巴列从自己的梦游经历中体会到世上只有一个人时的难受滋味。人需要社会，人不能脱离他人而生活。作者在谈到这篇童话时说过一段话，正可以作为我们理解这篇童话的钥匙。他说："在（世界上只有小巴列一个人）这本童话小册子里，我试图告诉孩子们的是，人只有在世界上唯独他一个人的情况下，才可能想干什么就干什么。然而，纵然我们只想在其中生活短暂时间，在这短暂的时间里也就会让我们明白：离开他人的帮助和关怀是没法生活的。"

【法国】阿希—季浩

列那狐偷鱼

那天天气很冷，天色阴沉沉的。列那狐在家里呆呆地看着那几只已经空了的食橱。

艾莫丽娜夫人坐在安乐椅上，愁眉苦脸地摇着头。

“什么也没有了，”她忽然说，“我们家里什么吃的也没有了。”

“饿着肚子的小家伙们快回来了，他们吵着要吃饭，我们该怎么办呢？”

“我们再出去碰碰运气看。”列那狐说着长叹了一声，“可是，季节不好，我真不晓得该上哪里去。”

他还是出去了，因为他不愿看到妻子和孩子们哭泣，他只好准备跟正要来的敌人——饥饿——作一场斗争了。

他沿着树林缓慢地走着，东瞧瞧，西望望，想不出找食物的任何办法。

他这样一直走到一条被篱笆隔开的大路上。

他垂头丧气地坐在路上。刺骨的寒风猛吹着他的皮毛，抽打着他的眼睛。他陷入了恍惚的沉思之中。

忽然一阵大风刮过，远处飘来一股诱人的香味。这香味直送到列那狐的鼻子里。

他立刻抬起头，使劲地嗅了几下。

“是鱼的味儿吗？”他想，“这明明是鲜鱼的香味啊！可是，它是从哪里来的呢？”

列那狐纵身一跳，跳到路边的篱笆旁。他不但鼻子很灵，耳朵很尖，而且目光也特别敏锐，他发现打老远的地方驶过来一辆大车。毫无疑问，这股诱人的味道就是从那辆车里散发出来的，因为当车子逐渐走近时，他清清楚楚地看到车上装的都是鱼。

确实，这是去附近城里鱼市场卖鱼的商贩，他们的筐子装满了鲜鱼。

列那狐一秒钟都没有迟疑。当他馋得流下口水，急不可待地想吃这些活鲜的鱼儿时，他的脑子里忽然闪出了一条妙计。

他轻轻一跳，越过了篱笆，绕到离大车还很远的大路的一端，躺倒在路中间，装出刚刚暴死的样子。软绵绵的身子，闭着眼睛，伸着舌头，跟断了气的一模一样。

鱼贩们到了他眼前，停下车，果然以为他死了。

“啊？那是一只狐狸还是一只獾？”其中一个商贩看到这只躺着的东西喊了起来。

“是只狐狸。快下车，快下车！”

“不是个好东西。不过，他那张皮倒不坏，可以把它剥下来。”

两个商贩连忙下车，上前去看列那狐。这时，列那狐装死装得更像了。

他们捏了他几把，把他翻过来，又抖落了几下，这时他们才欣赏到他那身漂亮的皮毛和雪一般洁白的喉部。

“这张皮能值四索尔[①]。”其中一个说。

“四索尔，不止！起码值五索尔。五索尔我还不一定肯卖呢！”

“把他扔在车上吧！到了城里，我们来收拾这张皮，卖给皮货商。”

两人漫不经心地把列那狐扔到了鱼筐边，重新上车，继续赶路了。

---

① 法国古代货币的名称，二十索尔合一法郎。

你们一定会猜到，我们这只狐狸在车上笑得多么开心！

他正落在好地方：那里有够他一家吃的丰盛的午餐。

他几乎一动也不动，毫无响声地用锋利的牙齿咬开了一个鱼筐，开始了他的美餐。一眨眼工夫，至少三十条鲱鱼进了他的肚子。虽然没有佐料，但他并不介意。

吃完后，他丝毫不想逃跑。他还要利用这个好机会呢。

“咔嚓”一下，他又用牙齿咬开了另一个鱼筐。那是一筐鳗鱼。

这次，他要为家里人着想了。他自己只尝了一条，那是为了察看鱼儿是不是新鲜，保证亲人不会受害。

他巧妙地把好几条鳗鱼串起来做成一个项链，挂在自己的脖子上，然后轻轻地从车后滑到了地上。

他下车虽然很轻，但还是发出了一点响声。

赶车人发现那只死狐狸已从车上逃跑，正感到莫名其妙和惊讶不已的时候，列那狐嘲讽地向他们喊道：

“上帝保佑你们，我的好朋友！让皮货商节约六个索尔吧！”“我给你们留着一点很好的鱼儿呢，谢谢你们送给我鳗鱼啦！”

商贩们这才明白，是列那狐用计捉弄了他们。

他们立即停住大车，去追捕列那狐。可是尽管他们像追赶小偷一样奔得上气不接下气，狐狸还是比他们跑得快。

他很快钻过篱笆，摆脱了商贩的追逐。

两个商贩懊丧万分，只好重新上了车。

列那狐跑着跑着，不一会就到了家，与正在挨饿的一家人相会。

艾莫丽娜带着亲切的微笑走上前来迎接丈夫。她看到列那狐脖上挂的这串项链，觉得比任何装饰都华美。她向丈夫表示热烈的祝贺，然后小心地关上茂柏渡的大门。列那狐的两个孩子贝尔西埃和马尔邦什虽然还不会打猎，但已经学会了烹饪技艺。他俩生起了火，把鳗鱼切成小块，串在铁扦上烤起来。

艾莫丽娜忙着侍候丈夫：她给他洗脚——他已经走累了，还擦洗了他那身被鱼贩们估价为六索尔的漂亮的皮毛。

（倪维中　王晔译）

导读

《列那狐故事》产生于12世纪70年代至13世纪中叶，是法国规模最大的叙事讽刺诗，共27组，3万多行，是法国中世纪市民文学的代表作。至于作为儿童文学的古典名著，是到20世纪出现了各种现代散文体改写本之后。其中以法国作家保林·帕里斯在1958年出版的改写本最为完整，而在中国流行的是女作家阿希—季浩夫人的改写本。季浩夫人采用原本精彩段落，改写成33篇相连续的故事。经过多次修改增补后的列那狐故事，情节完整，人物性格十分鲜明。今天人们所说的《列那狐故事》乃是指用儿童乐于接受的散文写成的长篇童话故事。故事说，列那狐诞生于亚当、夏娃被逐出伊甸园之时。上帝把亚当和夏娃逐出伊甸园时，给他们一根棍子，只要拿它去打击海面，他们就可以得到所需要的动物。亚当要了些有益的动物，夏娃却要了两个有害的动物——列那狐和依桑格兰狼。列那狐和依桑格兰狼的斗争就成了长篇童话的主要冲突，其中最精彩的故事是《列那狐偷鱼》《依桑格兰狼钓鳗鱼》和《狮王诺勃勒的裁判》等。

《列那狐偷鱼》是长篇童话的开篇，通过列那狐利用智谋偷取鲜鱼的有趣故事，充分显示了列那狐的狡智，可读性强，足以引起读者对阅读后面故事的兴趣。

【英国】雅各布斯

三只小猪

从前，在某地方，有一只母猪。这只母猪生了三只小猪，因为没有足够的食物喂养他们，就叫他们出去自谋生活。

最先到外面去的小猪，遇到一个人，扛着一捆稻草，就对那个人说：

“先生，因为我要盖房子，请把那捆稻草送给我好吗？”

那个人把稻草给了小猪，小猪就用来盖了一间房子，独自住在里面。

不久，狼来了，在外面敲门说：

“小猪先生，小猪先生，请让我进去好吗？”

“不行，不行！你那样咚咚地敲，是不礼貌的。”小猪回答说。

“那么，我只好不客气地对你的房子噗噗地吹喽！”

狼说完之后，就噗噗噗地吹了起来。房子终于被吹倒了，小猪也被狼吃掉了。

第二只小猪到了外面，遇到一个扛着一捆木板的人，就对那人说：

“先生，我没地方住，请您把那捆木板送给我盖房子好吗？”

那人把木板送给了小猪，小猪就用来盖了一间房子。不久，狼来了，敲门说：

“小猪先生，小猪先生，请让我进去好吗？”

“不行，不行！你那样咚咚地敲，是不受欢迎的！”小猪回答说。

“既然这样，那我只好不客气地把你的房子吹倒喽！”

狼说着，就用力吹起来。最后，房子被吹倒了，小猪也被狼吃了。

第三只小猪出去后，遇到了一个搬着很多砖瓦的人，就对他说：

“先生，因为我没有地方住，想要盖间房子，请把那些砖瓦送给我好吗？”

那个人就把砖瓦送给了小猪，小猪用那些砖瓦盖了一间房子。不久，狼来了，用对另外两只小猪所说的话对他说：

“小猪先生，小猪先生，请让我进去好吗？”

“不行，不行！你不能进来。”

“既然这样，那我只好对着你的房子吹气，吹倒了你可不要怪我呀！”

狼一说完，就对着房子用力吹起来。可是，不管他怎样吹，就是吹不倒。狼终于明白砖瓦造的房子太坚固了，是没有办法吹倒的，于是就改变主意说：

“小猪先生，那边有很多长得很好的大头芥。”

“在哪边呀？”小猪问。

“在农夫史密斯先生家的田里，明天早晨你在家准备好，我来接你一起去挖些回来。”

“就这么办吧！我会准备好等你的。你说我们什么时候出发呢？”小猪问。

“六点钟。”狼回答道。

第二天早晨，小猪五点钟就起床，先去挖了一些大头芥回来。不久，狼来了，对小猪说：

“小猪先生，快六点了，你准备好了没有？”

小猪回答说：

“你问准备好了没有？哈哈哈，我都已经回来了。那些大头芥的确长得很好，我已经挖了很多回来，装满了一锅哪！”

狼听到这话，可真气坏了。因为他存心要把小猪吃掉，只好忍气吞声地说：

“小猪先生，既然如此，那我就带你到一处有很好苹果树的地方去。”

“在哪儿呢？”小猪问。

“在玛丽家的果园里。如果你不再骗我，明天早晨五点钟我来接你，我们一起去摘些苹果回来。”

第二天早晨，小猪因为希望在四点钟就能回到家里，所以很早就出去摘苹果。可是，因为路比昨天远多了，而且要费时间爬树，所以，当他正要从树上下来的时候，看到狼已来到对面了，心中十分害怕。狼来到近旁说：

“啊！小猪先生，你为什么又比我先来了呢？这树上的苹果好吃吗？”

“嘿，好吃极啦！不信的话，我扔一个给你吃吃看。”

小猪说完，就把一个苹果故意扔到很远的地方去。当狼跑去捡那个苹果的时候，小猪赶紧跳下来，逃回家去。

后来，狼又来了，对小猪说：

“小猪先生，今天下午在香克林地方有一个集市，你要不要去呢？”

“啊，去看看也好，你觉得几点钟去好呢？”

“三点钟。”狼回答说。

小猪像过去一样，又比约定的时间提前出发，他一到集市，就买了一个制奶油的桶，正想把桶带回家时，狼从对面来了。小猪这时候真不知该怎么办才好！最后忽然想到，为什么不藏到桶里去呢？

小猪躲进桶里后，桶就“咕咕噜噜”地向前滚，因为刚好在下坡的地方，所以愈滚愈快。狼看到了很害怕，就不想到集市去，赶紧逃回家了。

不久，狼又到小猪那里，站在房子外面，对小猪谈起他看到一个大而圆的东西，从山坡上滚下来，正好经过他身边，吓得他半死的事。小猪听了说：

“这样说起来，你是在怕我哪！老实对你说吧！我在集市买了一个制奶油的桶，因为看到你来了，我就躲进桶里，从山坡上滚了下来。”

听了这话，真把狼给气坏了。这一次，他决心非吃掉小猪不可，就对小猪说要从烟囱进入屋里捉他。

小猪赶紧盛满了一锅水，并在锅下面“噼里啪啦”地烧起火来。这时候，狼正从烟囱落下来，小猪很快地把锅盖拿走，“砰”的一声，狼掉进锅里了。

小猪马上把锅盖盖回去，把狼煮熟，当作晚餐吃了。

从此以后，小猪一直过着幸福安宁的生活。

（佚名译）

导读

雅各布斯(1854—1916)是19世纪欧洲搜集民间童话热潮中在英国涌现出来的闻名世界的民间童话作家。因为格林兄弟、安徒生在童话上的成功，所以从19世纪中叶开始，童话就成为儿童读物的代名词，并因此引起不少人的兴趣。雅各布斯也被吸引到这个民间童话热之中，从英吉利、爱尔兰民间搜集了许多童话故事，编成《英国童话集》，于1890年出版。其中就有《三只小猪》《杀巨人的杰克》等著名故事。1894年，他又出版了《英国童话(增补本)》，并于1979年将两书合二为一再版。雅各布斯搜集民间童话的目的不同于格林兄弟，他明确表示，他的故事集并不是为研究民间童话故事的人们提供历史资料，而是为了给英国儿童提供直接的娱乐。因此，他对所搜集到的童话进行大胆改写，使之适合儿童阅读。在英国民间童话中，雅各布斯的童话故事一直占据主导地位，吸引了一代又一代的孩子们。

《三只小猪》是《英国童话集》中最脍炙人口的童话之一，原是英国童谣及摇篮故事收集者哈利韦尔(1820—1889)于 1853 年收集的一个民间故事，与格林童话中的《狼和七只小羊》十分相似。童话通过狼要吃掉小猪最后反被小猪吃掉的有趣情节，说明只要依靠自己的勇敢和机智，弱者照样可以打败比自己强大的敌人。从一般常识判断，小猪根本不是狼的对手，但小猪却毫不畏惧，沉着地与狼周旋，经过四个回合的斗智斗勇，终于以自己的智慧彻底消灭了狼，为自己赢来了永久的和平与安宁。童话采用民间故事传统的三段式结构方式，在一波三折中，把小猪的机智、勇敢、沉着、镇定，把狼的贪婪、愚蠢、凶残，都表现得淋漓尽致，并富有令读者紧张而又开心的喜剧风味。

【英国】奥斯卡·王尔德

自私的巨人

每天下午,孩子们放学以后,总要到巨人的花园里玩玩。

这花园真大呀！好看极了！满园铺着柔软碧绿的嫩草,绿草上到处开放着各色各样美丽的花朵,好似点点繁星。园里还有十二棵桃树,春天一来,便骤然绽开一片粉红色和珍珠色的鲜花;到了秋天,又结成累累的鲜桃。鸟儿歇在树上唱得那么婉转悦耳,孩子们都不禁停下玩耍,侧耳倾听。大伙儿高兴地互相叫嚷:"咱们在这儿多开心哪!"

有一天,巨人回来了。他原来是到康沃尔郡看望他的朋友吃人巨妖去的,在那儿待了七年之久。他的话并不多,七年过去了,把所要说的话都说尽了,便决心返回自己的巨大宅第来。到家时,他看见孩子们正在花园里玩耍。

"你们在这儿闹腾什么?!"他厉声厉色地大吼。孩子们撒腿便跑掉了。

"我自己的花园就是我自个儿的,这谁都明白,"巨人说,"除了我自己,谁也不准在里面玩。"他砌了一道高高的墙,把花园给圈起来,又竖了个布告牌:

擅自入内
严惩不贷

他是个非常自私的巨人呢。

可怜的孩子们如今没地方好去玩了。他们在大路上玩,但是路上满是尘土和硬石块儿,他们不乐意。散学以后,他们还是常常在这堵大高墙的周围转来转去,谈论里面那美丽的花园,互相说:"从前咱们在这儿多快活啊!”

不久,春天来到了。于是乡野遍地鲜花盛开,可爱的鸟儿到处飞舞。唯独自私巨人的花园里依然一片隆冬景象。园里没有孩子们的身影,鸟儿都不愿意在那儿唱歌,果树也忘却了开花。有一回,一株美丽的花儿从草底下探出头来,但是,一眼瞥见那个布告牌,很替孩子们难过,便又缩回土里面睡大觉去了。在这里感到舒心惬意的只有两位,就是雪和霜。他们嚷道:“春天已经把这个花园忘了!咱俩可以整年待在这里不走了。”雪用她那又宽又大的白斗篷蒙住青草,霜就把所有的树都涂成银色。他们邀请北风一同居住,北风就来了。他裹在皮大衣里,整天在花园里咆哮,把烟囱顶管都吹掉了。他说:“这可真是个寻欢作乐的好地方,咱们说什么也得请冰雹来串个门儿啊!”冰雹就也来了。他每天都要砰砰地敲打这个巨大宅第的屋顶,一打就是整整三个小时,把大部分石板瓦都砸得稀烂,还要在园里转着圈地飞跑。他穿的是灰衣服,呼出的气像冰一样凉。

“我真不明白春天怎么这么晚还不来?”自私巨人坐在窗前,看着这座白森森冷冰冰的花园这样说,“我盼望天气能变好。”

但是,春天始终没有光临;夏天,也没露面;秋天呢,她给每座花园都赠送了金色的果实,唯独自私巨人的花园,她什么也没给。“巨人太自私了!”她说。因此花园里终年都是冬天住着,还有北风,还有冰雹,还有霜,还有雪,在树木间穿来穿去,尽情跳舞。

有天清晨,巨人睡醒后,仍然在床上躺着,忽然听到一阵美妙的音乐声。这音乐那么优美动听,巨人以为一定是国王的乐队路过此地。实际上,那只不过是一只红雀在他的窗外唱歌,只因巨人很久很久没听到花园里有鸟儿唱歌了,所以觉得这是世界上最美妙的乐声。这时,冰雹在他头顶上停止了跳舞,北风也不再呼啸,一股醉人的芳香透过开着的大窗户扑鼻而来。“我相信这是春天终于驾临了!”巨人说着一跃而起去看窗外。

他看见了什么呀?!

他看见一幅特别奇妙的景象。花园的墙上有个小洞,孩子们从这里一个个钻了进来,正坐在树枝上。定睛细看,每棵树上都坐着一个孩子。果树见孩子们回来了,高兴得给自己戴满了花朵,手臂还轻轻地在孩子们的头顶上摆动;鸟儿们欢乐地飞来飞去,“啾啾”地唱着歌;一朵朵花儿从碧绿的草底下探出头来往上看,绽开了笑脸;真是一幅动人的美景啊!但是只有一个角落依旧是冬天。这是花园里最远的一个角落,那儿站着一个小不点儿的小男孩。他太小了,够不着树枝,正在树下转来转去,哭得伤心极了。这棵可怜的树仍然全身盖满霜和雪,头顶上,北风依然在猛吹怒吼。“爬上来呀,小不点儿!”树说,同时尽量把枝条俯得低低的。可是,这孩子太幼小了。

巨人见到这种情景,心软了下来。“前一阵我多自私啊!”

他说:“如今我才明白,为什么春天不愿意到这儿来。我要把那个小不点儿放到树顶上,把高墙推倒,让我的花园从今往后永远成为孩子们的乐园。”他对自己以往的所作所为真心诚意地感到后悔。

他悄悄地走下去,轻轻开了前门,走进花园。孩子们一见巨人,吓得要命,一下子便全都跑了,花园里又变成了冬天的景象。只剩下那个小不点儿没跑开,因为他泪眼模糊,没看见巨人过来。巨人悄悄走到小孩身后,轻轻把他抱起来,放到树上。这棵树顿时鲜花怒放,鸟儿们也都飞到枝头来唱歌。小男孩呢,伸出两条小胳臂,拥抱住巨人的脖子吻他。别的孩子见巨人变了样,不再凶狠了,又纷纷跑回来了,春天也陪他们一起回来了。“孩子们,现在这是你们的花园了!”巨人说,说着就抡起大锤,几下把高墙给拆了个干净。村民们中午到市场时,见巨人正和孩子们一起玩,那个花园再漂亮不过了,平生谁也没见过呢。

他们玩了一整天，黄昏时分，孩子们去向巨人告别。

“你们那个小伙伴儿呢？”巨人问，“就是我放到树上的那个孩子。”巨人最喜爱他，因为他吻过巨人。

“我们不知道哇！”孩子们答道，“他已经走了。”

“你们务必告诉他，要他明天一定来玩啊！”巨人嘱咐大伙儿。但是孩子们都说，他们不知道这个小小孩儿住在哪儿，说以前从来没见过他。巨人听了，心里很难过。

每天下午，孩子们放学以后，就来和巨人一起玩儿，唯独他喜欢的那个小男孩再也没有见到。巨人对每个孩子都很慈祥，不过还是很想念自己的第一位小朋友，常念叨他：“我多想见他呵！”巨人老是这样说。

好多好多年过去了，巨人已经变得很衰老，身体很虚弱。他再也不能和孩子们一起玩耍，只能坐在一把大扶手椅里，看着孩子们游戏，同时欣赏自己的花园。“我有好多美丽的花儿，”他说，“可是孩子们却是最最美丽的花朵。”

在一个冬天的清晨，他穿衣服时，往窗外看了看。如今他不再憎恨冬天了，他明白，这时节只不过是春在睡眠，花儿们也在休息而已。

突然，他惊奇地揉了揉眼睛，看了又看。这情景简直太不可思议了！就在花园最远的那个角落，有棵树开满了洁白可爱的花朵，树枝全是金黄金黄的，枝上垂挂着银色的果实，树底下，站着他所爱的那个小男孩。

巨人高兴极了，跑下楼去，出了门便跑进花园。他急急忙忙跨过草地，朝孩子身边走去。当他走到紧跟前时，不禁气愤得满面绯红。他问道：“有谁竟敢伤害你？”因为在孩子的两只手掌上，有两个钉子的伤痕，一对小脚丫上也有两个钉痕[①]。

“有谁竟敢伤害了你？”巨人叫嚷，“你告诉我，我拿我那把大刀宰了他！”

“没人伤害我，”孩子回答说，“这是上帝仁爱的痕迹啊。”

“那么你是谁？”巨人问孩子，突然感到一种莫名的敬畏，在小孩面前跪下来。

小孩对巨人微微一笑，并说：“你让我在你的花园里玩过一次，今天，你该跟我一起上我的花园去，那就是天堂。”

当天下午，孩子们跑到花园里来时，发现巨人躺在这棵树下。他已经去世了，圣洁的白花覆盖了他的整个身躯。

（吴国真　赵经民译）

导读

奥斯卡·王尔德（1854—1900），英国唯美主义文学的创始人。王尔德童年时即对神话传说产生兴趣，在牛津大学求学时，又深受导师罗斯金（著名童话《金河王》的作者）的影响，终于走上童话创作之路。他的童话作品收在《快乐王子及其他故事集》（1888）和《石榴之家》（1891）两部童话集中。他的童话作品深受安徒生的影响，对生活尖锐的看法，与安徒生如出一辙。但这种对生活洞察的尖锐犀利，由他天才、娴熟的艺术技能表现出来，使得他的童话作品成为世界童话宝库中不可多得的璀璨明珠。其善恶之鲜明、构思之精巧、文辞之优美、想象之丰富、感情之洋溢，在世界童话史上很少有可与之媲美者。正如《王尔德传》的作者R·H·谢拉尔德所说的：“在英国大学找不

① 钉痕：据基督教《新约全书》记载，上帝爱世人，让自己的儿子耶稣代替世人受难，钉死在十字架上（十字架是罗马帝国时代的一种刑具，把人的两手两脚钉在上面，任他慢慢死去）。本文中的小小孩是耶稣的化身。

出能够跟它们相比的童话，它们写得巧妙无比，故事依着一种罕有的丰富想象发展，读起来（或讲起来）叫小孩和成人都感到有趣，而同时它们中间又贯穿着一种微妙的哲思。"因而被公认为是近代童话创作的典范。

《自私的巨人》又译作《巨人的花园》，收在《快乐王子及其他故事集》中，是王尔德童话中最短，也最有诗情画意的、最动人的一篇。巨人的大花园里绿草如茵，繁花似锦，鸟语花香，一派生机勃勃的旺盛景象。但自私的巨人宣布：花园是我自个儿的，"除了我自己，谁也不准在里面玩"。于是他在花园四周筑起了高墙，孩子们只好在高墙外转来转去。春天来的时候，花园里出现了让自私的巨人想不到的一幕：花园里没有孩子，春天就进不了花园，鸟儿不肯在园子里歌唱，树木也忘了开花。有一天孩子们从墙的一个洞口钻进花园后，花园又奇迹般地恢复了生机。巨人终于悔悟了，推倒高墙，欢迎孩子们，将春天带入花园。自私的巨人终于不再自私，他去世时，圣洁的白花覆盖了他的整个身躯。王尔德在提及这篇童话时，曾说过："这本书不是为了儿童，而是为 18 岁到 80 岁充满童真的人。"他是要告诉大人们，不要忘了"孩子和春天同在，孩子和美同在"，自私的人不仅不可能拥有春天，同时也会扼杀美与希望。

【俄罗斯】列夫·托尔斯泰

三只熊

有个小姑娘离家到树林去。她在树林里迷了路，找来找去总找不到回家的路，却闯到了林中的一座小房子里。

房子的门本来是开着的。小姑娘往门里瞧了瞧，里面一个人也没有，她就进去了。房子里住着三只熊。熊爸爸米哈伊尔，身材高大，浑身毛茸茸的。熊妈妈个儿略微小一点，叫娜斯塔霞。第三只是熊娃娃，叫米舒卡。三只熊都不在家。他们到树林里散步去了。

小房子里有两个房间，一间是饭厅，一间是卧室。小姑娘走进饭厅，看见桌子上有三碗粥。第一只碗非常大，是米哈伊尔的；第二只碗小一点，是娜斯塔霞的；第三只蓝色的小碗，是米舒卡的。碗旁边都放着一把汤匙：一把大的，一把中等的，一把小的。

小姑娘拿起最大的汤匙，尝尝那只大碗里的粥；又拿起中汤匙，尝尝中碗里的粥；然后又拿起小汤匙，尝尝小蓝碗里的粥。他觉得米舒卡的粥味道最好。

小姑娘想坐下来歇歇，看见桌子旁边有三把椅子：第一把椅子很大，是米哈伊尔的；第二把椅子小一点，是娜斯塔霞的；第三把椅子很小，有个蓝坐垫，是米舒卡的。小姑娘爬上大椅子，摔了下来；她坐到中椅上，觉得不舒服；最后，她坐上小椅子，乐得笑起来了。这把椅子多么舒服呀！她端起小蓝碗的粥，搁在膝盖上吃起来。她把粥吃光了，就坐在椅子上，舒舒服服地摇呀摇，愈摇愈猛。

小椅子给摇垮了，小姑娘摔倒在地板上。她爬起身来，扶起小椅子，走进第二间房间。房间里有三张床：第一张是大床，是米哈伊尔的，第二张是中床，是娜斯塔霞的，第三张是小床，是米舒卡的。

小姑娘躺到大床上，觉得太大；躺到中床上，又觉得太高；躺到小床上恰恰好，小姑娘呼呼地睡着了。

三只熊回到家里，已经饿了，正想吃中饭。大熊端起自己的碗一看，粗着喉咙喊起来：

“谁吃过我碗里的粥？”

娜斯塔霞看了看自己的碗，也大声叫起来，可是声音没有那么大：

“谁吃过我碗里的粥？”

米舒卡看见自己的碗空了，便尖声嚷起来：

“谁把我碗里的粥吃光了？”

米哈伊尔一看自己的椅子，声音大得可怕地喊起来：

“谁坐过我的椅子，把它动过了？”

娜斯塔霞看看自己的椅子，也大叫起来，可是声音没有那么大：

“谁坐过我的椅子，把它动过了？”

米舒卡瞧了瞧自己的破椅子，尖叫起来：

“谁坐过我的椅子，把椅子都弄坏了？”

三只熊走进第二间房间。

米哈伊尔大叫起来：

“谁睡过我的床，把被褥都弄皱了？”

娜斯塔霞也大叫起来，不过声音没有那么大：

“谁睡过我的床，把被褥都弄皱了？”

米舒卡搬来一条小板凳，爬到自己的床上，尖着声音说：

“谁睡过我的床？”

他突然看见了小姑娘，就像给什么刺了一下，尖叫起来：

“就是她！抓住她！就是她，就是她！唉……呀！把她抓住呀！”

小熊正要咬她。小姑娘睁开眼，看见三只熊，连忙扑到窗口。窗子本来是开着的，她从窗户跳出来，飞也似地逃跑了。

熊没能追上她。

（吴墨兰译）

导读

列夫·托尔斯泰是19世纪俄罗斯最清醒的现实主义文学大师，对俄罗斯儿童文学的发展产生过巨大影响。他的自传体小说《童年》《少年》《青年》三部曲和《塞瓦斯托波利故事》，是少年儿童所喜爱的文学读物。1872年，集他14年艺术劳动成果的《识字读本》正式出版了，随后又相继出版了《新识字读本》(1875)和《俄罗斯儿童读物》(1875)。列夫·托尔斯泰一共为孩子们写了629篇各种形式的儿童文学作品，通过这些作品纯朴的叙述，充分表达了一个文学大师对孩子们的爱心。

《三只熊》最早的版本见于1837年在英国出版的《医生》。《医生》是罗伯特·索锡的一部作品集，由许多短故事构成，其中就有《三只熊》，但进入熊房子的不是善良好奇的小姑娘，而是身体矮小伪善的老太婆。雅各布斯在《英国童话集》(1890)中说："这个故事是索锡写的"，但在他的《英国童话续集》(1894)中，又大胆对索锡作品进行了改编，改写为闯进房子的不是老太婆，而是一只狐狸。然而在雅各布斯之前，在约瑟夫·坎多尔的《幼童读物乐趣集萃》(1850)中，把闯入房子的人写成是一个名叫"银发"的小姑娘。但在1868年前后，在《弗兰德利阿姨幼儿读物》中又用了"金发"这个名字，到1904年出版《古老幼儿故事及童谣集》这本书时，又改成了"金发毛茛"，现在流传的故事中已普遍使用"金发毛茛"这个名字了。

可以肯定，列夫·托尔斯泰的《三只熊》来自民间故事，但创作的成分比较大，而且作者别出心裁，俄文原文中，熊爸爸(身材高大)说的话都用大号字，熊妈妈(身材略小)说的话用中号字，小熊(熊娃娃)

说的话用小号字，这样处理对于提高幼儿阅读趣味有特殊的效果。《三只熊》因被选作小学生课文而得以广泛传播，人们也都将其视作列夫·托尔斯泰的童话代表作。通过小姑娘和小熊无言的理解和沟通，从吃、坐、睡三个侧面表现了熊父母对小熊的爱和体贴，是一首母爱的颂歌。

【俄罗斯】阿·托尔斯泰

熊和狐狸

从前，有一头熊和一只狐狸。

熊的屋子有个小顶楼，顶楼里存放着一桶蜂蜜。

狐狸打探到了熊的秘密。怎么才能把蜜弄到手呢？

狐狸跑到熊的小屋边，坐在他的窗下。

“朋友，你不知道我的苦处啊！”

“朋友，你都有什么苦处啊！”

“我那小屋坏了，屋角都塌了，我连火炉也生不起来。你让我在你屋里搭着住住吧？”

“进来吧，朋友，就到我屋里住吧。”

他们就睡在火炉上头。狐狸躺着，可尾巴老摇晃着。她怎么才能把蜜弄到手呢？熊睡熟了，狐狸这时用尾巴敲出“笃笃”声来。

熊问：

“谁在外头敲门呀？”

“这是找我的，我的女邻居生了个儿子！”

“那你去吧，朋友。”

狐狸出去了。她爬上了小顶楼，动手吃起蜜来。吃饱了，回到火炉上，又躺下来。

“朋友，哎，朋友，”熊问，“你去的那个村子叫什么名儿来着？”

“开桶村。”

“这名儿怪新鲜的。”

第二个晚上，他们睡下后，狐狸又用尾巴“笃笃笃”地连声敲着。

“朋友，朋友，又叫我来了。”

“那你就去吧，朋友。”

狐狸爬上了小顶楼，吃去了半桶蜜。吃过，又回来睡。

“朋友，朋友，今晚去的村子又叫什么来着？”

“一半村。”

“这名儿也怪新鲜的。”

第三个晚上，狐狸又“笃笃笃”地甩响尾巴。

“又来叫我了。”

“朋友，哎，朋友，”熊说，“你可别去得太久了哟，今晚打算烙甜饼吃。”

“好的，我很快就会回来的。”

她自个儿又爬上了小顶楼，把一桶蜜给吃了个精光。她回来时，熊已经起床了。

“朋友，哎，朋友，这回你去的村子又叫什么名儿来着？”

“精光村。”

“这名儿更新鲜了。现在，咱们来烙甜饼吃。”

熊要动手烙甜饼，可狐狸问：

“你的蜜糖哩，朋友，蜜糖在哪儿？”

“在小顶楼上呀。”

熊爬上小顶楼去取蜜糖。桶里没有蜂蜜，空荡荡的了。

“谁吃掉了我的蜂蜜？”他问，“一定是你了，朋友，不会是别个的！”

“不，朋友，我连蜂蜜的影儿也没见过呀。怕是你自个儿吃了，推到我头上来的吧！”

熊左思右想……

“有办法了，”他说，“让我们来验验谁吃了蜜。我们都躺到太阳下边去，肚皮朝上晒。谁的肚皮上有蜜化开，谁就是吃了蜜的。”

他们俩来到太阳下，仰天躺好。熊躺着躺着，就睡熟了，狐狸可没入睡，她瞧着自己的肚皮，瞧着瞧着，她的肚皮上淌下一滴蜜汁。她当即把蜜汁从自己的肚皮上刮下来，抹到了熊的肚皮上。

“朋友，哎，朋友，你这是什么！现在该看清是谁吃了蜜了吧！”

熊没办法，只好向狐狸承认：他错怪狐狸了。

（韦苇译）

导读

阿·托尔斯泰（1873—1945），在苏联儿童文学史及世界儿童文学史上占有光辉的一页。他在十月革命前就开始为孩子写作品，直至去世。其代表性作品有童话集《喜鹊的故事》《火鸟》，两部为少年改写的长篇小说《彼得大帝》《金钥匙》。卫国战争前，阿·托尔斯泰着手他早想进行的一项巨大工程——整理编订民间童话。这件工作未能完成，作家就逝世了。1946 年，他的未竟稿出版时有动物童话 50 则，神魔童话 7 则。经阿·托尔斯泰整理编订的民间童话体现了大作家的新观点和新的教育原则，为民间文学的儿童化工作提供了新经验，使民间童话增强了讽喻力量。其中狐狸的故事有《狐狸和狼》《狐狸和鹌鸟》《熊和狐狸》《狐狸和公鸡》等 16 则，情节十分奇妙精彩。形形色色的狐狸实际上是现实生活中各种人物的写照。

《熊和狐狸》的情节是围绕一桶蜂蜜来展开的，写狐狸如何狡猾地偷吃了蜂蜜，又把账记到笨熊的头上。笨熊被狐狸愚弄了，最终仍不自知。读后让人发出会心的一笑，笑熊的憨厚和愚笨。由于情节的游戏性、语言口语化、形象儿童化，以及全篇洋溢着浓郁谐趣的喜剧风格，所以它特别适合给低幼儿童讲读。

【俄罗斯】乌申斯基

树林里的孩子

哥哥和妹妹一起上学去。他们要从一片林荫覆盖的小树林旁经过。天气十分炎热,路上尘土飞扬,而小树林里却凉爽诱人。

“你知道吗?”哥哥开口说,“去学校还来得及。这会儿学校里又闷热又寂寞,而待在树林里一定会非常愉快。你听,那儿小鸟叫得真欢;松鼠在树枝上跳来跳去,有趣极了!我们去玩会儿,好吗?”

妹妹被哥哥的话打动了。兄妹俩把课本往草地上一丢,手拉着手,钻进了白桦树繁茂的枝叶下和绿色灌木丛。树林里果然又快乐又热闹。小鸟儿不住地叽叽喳喳;松鼠在树枝上跳上跳下;昆虫在草地上爬来爬去。

他们首先看见了一只金龟子。

“和我们玩一会儿吧。”孩子们对金龟子说。

“我倒是想玩会儿,”金龟子回答说,“不过我没有时间,我要准备午饭呢。”

“你和我们玩一会儿吧,”孩子们又对黄色的毛茸茸的蜜蜂说。

“对不起,我可没有工夫,”蜜蜂回答,“我要采蜜呢。”

“你不想和我们玩一会儿吗?”孩子们问身旁的蚂蚁。

蚂蚁顾不上理会他们,拖着一根比他身体长两倍的麦秸,忙着为自己建造精巧而复杂的住所。

孩子们转向松鼠,求他一块儿玩一会儿,但是,松鼠摇了摇毛茸茸的尾巴回答说,他要为过冬储备粮食哩。

孩子们去邀请鸽子,可鸽子说:

“我正在为我的孩子们筑巢。”

灰兔跑到小溪边去洗脸。就连白颜色的草莓花也不理会这两个孩子。她趁这好天气抓紧时间孕育自己多汁味美的浆果。

孩子们觉得很扫兴，因为大家都在忙着自己的事，谁也不愿意和他们一起玩。他俩向小溪跑去。小溪拍打着卵石发出潺潺的响声，缓缓地穿过小树林。

“你嘛，大概没有什么可忙的吧?”孩子们对他说，“和我们玩一会儿吧!”

“怎么！我没啥可忙的?”小溪生气地说，“你们哟，是懒惰的孩子！瞧我吧:我夜以继日地工作，从不知道休息一分钟。难道我能不为人类和动物歌唱吗？除了我，还有谁能洗净衣服，转动磨坊的水轮？靠谁来漂浮船只，扑灭火灾？啊，我有这么多工作，简直忙得头发昏!”小溪说完，又拍打起卵石，发出潺潺的响声。

孩子们觉得更没意思了。他们想，倒不如先去上学，回来时再顺便来小树林。这时，一个孩子发现绿色的树枝上有只美丽的知更鸟。她站在那儿悠然地吹着口哨，愉快地唱着歌儿。

“啊，你唱得真开心?”孩子们对知更鸟说，“你嘛，大概不干什么活，和我们玩一会儿吧!

“怎么，”受委屈的知更鸟叫了一声，“我没什么可干的？难道我不捕捉小虫喂养自己的婴儿吗？我累得连翅膀都抬不起来，现在还得给我可爱的孩子唱歌，哄他们早点入睡哩。而你们今天干了些什么呢，小懒人？你们不去学校，什么也学不到。你们跑到树林里来，打扰大伙的工作！还是到学校去吧！记住，只有做完了该做的一切，才能休息得愉快，玩得痛快。”

孩子们害羞了，他们立刻上学去了，虽然迟到了，但学习比任何时候都用功。

（尤建初　惠树成译）

导读

乌申斯基(1824—1870),俄罗斯伟大的教育家和作家。他所编写的《儿童世界》(1861)和《祖国语文》(1864),曾长期是俄国课堂读物和家庭教育最好的、采用者最多的读本,其中《祖国语文》印了将近150版。乌申斯基的作品题材广泛,短小精悍,形式多样,风格绚丽多彩。作家善于从小读者的感受出发,寓思想教育于艺术作品之中,对孩子们进行多方面的教育,充分显示了乌申斯基作为教育家和作家二者和谐一致的独特创作风格。俄罗斯著名的儿童文学家马尔夏克称誉说:"唯乌申斯基的作品有资格同列夫·托尔斯泰的儿童文学作品相提并论,共同被称为艺术的儿童百科全书。"

《树林里的孩子》叙述两个小孩子不愿去学校上课而钻进树林里玩,他们见什么动物就邀什么动物一起玩,但动物们各有自己的事要忙,没有闲工夫同他们玩。在树林里的所见所闻,对兄妹俩触动很大,他们终于不再逃学,并且学习起来比任何时候都用功。童话主旨是教育儿童要珍惜时间,热爱学习,但故事写得充满童趣又语重心长,让人屡读不厌。

【前苏联】高尔基

叶甫谢卡的奇遇

叶甫谢卡是个非常好的男孩子。有一天，他坐在海边钓鱼。

鱼儿捣蛋不上钩，太枯燥无味了。天气很热，叶甫谢卡感到无聊，打起盹儿来，竟“扑通”一声，落到水里去了。

他落到水里倒没什么，并没有惊慌。他先慢慢地游了一会儿，然后一个猛子，一下扎到海底。

他坐在一块石头上，那上面软软地铺上一层棕红色海藻，往四周瞧瞧——真是太美了！

一只大红海星正慢条斯理地爬着，一些长胡子龙虾正威风凛凛地在石头上面走来走去，一只螃蟹横着爬过去；石头上，到处是海葵，活像一些大樱桃。到处有各色各样有趣的东西：这里是海百合摇摇晃晃地开放；行动敏捷的小虾像苍蝇似的一闪而过；一只海龟蹒跚地爬过去了；两条绿莹莹的小鱼在笨重的龟壳上面嬉戏着，仿佛空中翩翩起舞的蝴蝶；这是寄生虾背着自己的贝壳，在白色的石头上挪动。叶甫谢卡见了他，甚至想起了这样一句诗：

这是一所房子——不是雅科夫大叔的车子……

突然他听见头顶上有声音，好像黑管发出的吱吱声：

“您是谁？”

他抬头一看，只见是一条极大极大的鱼、瓦灰色的鱼鳞闪着银光。他鼓起眼睛，龇着牙，令人愉快地微笑着，就像已经煮熟，躺在餐桌上的大盘子里似的。

“是您在说话吗？”叶甫谢卡问道。

“是我……”

叶甫谢卡觉得挺奇怪，怒气冲冲地问道：

“说话的怎么会是您？鱼是不会说话的呀！”

他一边这样说，一边暗暗想：

“真没想到！德语，我一点也不懂；鱼的语言，我却一下子就听懂了！啲！我多有本事！”

于是他神气活现地打量周围——一条五彩斑斓的顽皮小鱼儿正绕着他游，一边游，一边还笑嘻嘻地说：

“瞧啊！游来了一个怪物，有两条尾巴！”

“嘻！没有鳞！”

“鱼鳍只有两个！”

几条动作敏捷一点的小鱼索性游到叶甫谢卡的鼻子前头来了，还一个劲儿逗他：

“好极了，好极了！”

叶甫谢卡很不高兴，心想：

“这些不讲理的家伙！好像不明白，在他们面前的是一个真正的人……”

他想抓住他们，但他们全从手边游走了，活蹦乱跳的，用嘴推着彼此的腰，齐声唱起一首歌，嘲弄一只大虾：

石头底下有只大虾，
啃着一条鱼尾巴。
鱼尾巴太干巴！
蚊蝇的滋味知道吗？

大虾凶神恶煞地抖着胡子，伸出两把钳子，嘟嘟囔囔地说：

“你们只要落到我手里，我就把你们的舌头夹断！”

“好厉害啊！”叶甫谢卡想道。

那条大鱼缠着叶甫谢卡问道：

“您说所有的鱼都是哑巴，这话您是从哪儿听来的?”

“我爸爸说的。”

“爸爸是什么样呀?”

“没有什么特别的……像我一样，只是比我大一点，还有胡子。他不生气的时候，非常和蔼……”

“他吃鱼吗?”

叶甫谢卡听了这句话，不由得吓了一跳：如果告诉他爸爸吃鱼，可糟了！

叶甫谢卡抬起眼睛看看上面，透过水层，他看到模模糊糊的绿色天空，还有天上像只大铜盘似的黄灿灿的太阳；孩子想了想，就扯了个谎说：

“不吃，他不吃鱼，刺太多了……”

“太无知了！”大鱼见怪地大叫起来，“我们并不是都有很多刺！就说我这种鱼吧……”

“得换个话题。”叶甫谢卡想到这里，就彬彬有礼地问道，“您到我们上边去过吗?”

“有什么必要去！”大鱼生气地说，“在那儿没法呼吸……”

“可是，那儿有那么多苍蝇啊……”

大鱼绕着他游一圈，然后在他的鼻子前面停下来，突然说道：

“苍——蝇? 那您干嘛游到这儿来了?”

“糟糕，麻烦来了！”叶甫谢卡想道，“他这傻瓜会把我吃掉的！……”

他装出毫不介意的样子，回答道：

“没什么，来逛逛……”

“嗯?”大鱼又嗤笑了一声，“也许您已经淹死了?”

“哪儿的话！”孩子委屈地嚷了起来，“完全不是，我现在马上就站起来……”

他试了试站起身来，可是怎么也站不起来，好像身子被一条奇重无比的被子裹住了似的，转不过身去，也动弹不得！

“我现在只有哭鼻子了，”他想，但又立刻意识到，就是哭的话，眼泪流到水里也看不见，于是决定不值得哭，也许能另外想个办法，摆脱这不愉快的窘境。

这时，周围——好家伙！各色各样的海洋动物都聚拢来了，多得数不清！

一只管海参一直爬到他脚上来了，他像个画得很不高明的小猪，尖声尖气地说：

“我想跟您交朋友……”

一个大水泡在叶甫谢卡鼻子前面抖动着，一鼓一鼓的，“呼哧呼哧”地指责他：

“好极了！好极了！不是虾，不是鱼，不是软体动物，哎呀呀！”

“等着瞧吧，说不定我还会成为飞行员呢！”叶甫谢卡对他说。这时，一只龙虾爬到他膝盖上来，转动着像吊在细线上似的眼睛，有礼貌地问：

“劳驾，请告诉我几点钟了？”

一只乌贼游过去了，他完全像一块湿淋淋的手帕；到处有管水母忽隐忽现的，活像一个大玻璃球。小虾挠得叶甫谢卡的一只耳朵直发痒，不知哪个好奇的动物在揪他另一只耳朵。还有许多小虾在他头上转来转去，当他们被头发缠住时，就拉他的头发。

“唉，唉，唉！”叶甫谢卡心里直叫，他尽力用无忧无虑和温柔的表情看周围的一切，就像爸爸做错事，妈妈对爸爸生气时，爸爸的那种表情。

周围有许多鱼，多极了，悬浮在水里，他们都慢悠悠地摆动着鱼鳍，朝叶甫谢卡鼓起像代数一样烦闷的圆眼睛，喃喃地说：

他没胡子没鳞，怎么活？

我们鱼怎么能把尾巴一分为二！

他不像虾，也不像我们，一点儿也不像！

莫非这怪物和难看的章鱼是一家？

“傻瓜！”叶甫谢卡委屈地想到，“去年，我俄语得了两个‘4’分呢……”

他装出什么也没听见的样子，甚至想漫不经心地吹一会儿口哨，可是办不到，因为水直往嘴里灌，像塞子似的把嘴堵上了。

那条絮絮叨叨的鱼还在不断地问他：

“您喜欢我们这儿吗？”

“不……我的意思是说——喜欢！……我家里……也很好，”叶甫谢卡说完，又吓了一跳，心想：

“哎呀，我的爹！我在说什么？！万一把他惹火了，他们会把我吃掉的……”

但是他却大声说：

“咱们想法玩一会儿吧，要不，怪闷得慌的……”

絮絮叨叨的鱼挺喜欢这主意，他张开圆圆的嘴大笑，粉红色的鳃都露出来了，他摆着尾巴，嘴里的尖牙一闪一闪，用老太婆的嗓音大声喊道：

“玩一会儿，——太好了！——玩一会儿，——太好了！”

“咱们游到上面去吧！”叶甫谢卡提议道。

“游到上面干什么？”鱼问道。

“没法再往下游了！上面有苍蝇。”

“苍——蝇！您喜欢苍蝇吗？……”

叶甫谢卡只喜欢爸爸、妈妈和冰淇淋，不过他回答道：

“喜欢……”

“那咱们游到上面去吧！怎么样？”鱼转过头朝上，说道。叶甫谢卡立刻一把抓住它的鳃，喊道：

“我——准备好了！”

“慢着！您这怪物，把爪子伸到我的鳃里了……”

“没关系！”

“怎么——没关系？一条正常的鱼不喘气是活不了的。”

“天哪！”叶甫谢卡叫了起来，“得啦，您干吗总抬杠？玩，就好好玩嘛……”

他心里却暗暗地想：

“只要它把我带到上面一点去，就行了；到那儿，我自己就可以浮出水面。”

鱼像跳舞似的游起来，大声唱着：

鱼鳍摆摆，
牙齿磨磨，
找顿美餐，
梭鱼追捕鳊鱼！

一群小狂儿打着转，扯开喉咙齐声合唱：

鱼要吃鳊鱼，
原来是这么一回事儿！
完全是白费劲儿！
啊，原来是这么一回事儿！

他们游啊，游啊，越往上去，游得越快，也越好游。忽然，叶甫谢卡觉得他的头浮到空气里了。

“哎呀！”

他看见天气晴朗，阳光在水面上闪烁，绿汪汪的水冲打着岸边，“哗哗”作响，喧嚣着，歌唱着。叶甫谢卡的钓竿梢浮在离岸很远的海水里，他自己还坐在那块石头上（他就是从那块石头上掉下去的），身上已经完全干了！

“嘿！”他笑眯眯地望着太阳说，“我从水里浮出来了。”

（王汶译）

导读

高尔基(1868—1936)，原名阿列克赛·马克西莫维奇·彼什柯夫，伟大的俄罗斯革命作家，前苏联时期社会主义儿童文学的奠基人。其代表性作品有著名的诗篇《海燕》《鹰之歌》，小说《母亲》《敌人》，剧本《小市民》《底层》，儿童文学《意大利童话》《俄罗斯童话》和自传体三部曲的前两部《童年》《人间》等。其中特别是《意大利童话》得到列宁的极高评价，列宁称它是“革命的传单”。

作为世界无产阶级儿童文学的创始人，高尔基根据自学成长的亲身体会，十分重视组织少年儿童阅读优秀的文化遗产，反复说明书籍对年轻人成长的作用。他说：“差不多任何一本书都告诉我许多所不知道的和未曾见过的人物、感情、思想和关系，等等。好像在我面前打开一扇通向未知世界的窗子……”“我读得愈多，书就使我和世界愈接近，生活对我变得更加光辉，更加美丽”。他向孩子们大声疾呼：“热爱知识源泉的书籍吧！有知识才有力量……才能使我们成为具有坚强精神的、诚实的、有理性的人。”为着让孩子们从书本中吸取健康有益的营养，他非常强调儿童文学的教育方向性和年龄特征，为儿童们写出了大量具有典范意义的作品。《叶甫谢卡的奇遇》就是很好体现高尔基的儿童文学观和创作原则的优秀童话作品。

《叶甫谢卡的奇遇》以叶甫谢卡梦游海底，别出心裁地以他与鱼的对话来构造故事，为孩子们打开了一个广阔的海底世界的新天地。作品内容清新自然，写出了儿童的天真、好奇和聪颖，唤起人们对童年的深深眷恋。

【前苏联】盖达尔

一块烫石头

村里有个孤老头。他身体很坏很坏，靠编篮子啊、缝毡靴啊、看守农庄果园不让孩子进去啊过日子。

很久以前，他从老远什么地方到这村里来，可大家一眼就看到，他吃够了苦。他瘸着腿，头发过早地白了，还有道弯弯的深疤打颊帮一直通过了嘴唇。这一来，就算是笑吧，他那张脸看上去也像是很悲伤，像是凶巴巴的。

有一回，一个叫小伊凡的孩子爬进农庄果园，想偷苹果好好吃个饱。没想到，裤腿在围墙钉子上一挂，"扑通"一声落到下面带刺的醋栗丛里了，刺得他浑身是伤，"哇哇"大哭。好，这一下给看守人抓住了。还用说，老头儿满可以拿荨麻抽他，甚至拖他到学校去告状。可老头儿可怜小伊凡。小伊凡两只手都被刺伤了，裤腿撕破，一条破布片挂在屁股后面，像条羊尾巴，通红的脸颊上"扑嗒扑嗒"地掉着眼泪。

老头儿一声不响，把吓破了胆的小伊凡从园子门带出去，放他走了，没打他一下，甚至没有在背后说他一声。

小伊凡又羞又恼，溜进林子，走着走着迷了路，到了一个沼地那儿。他累坏了，看见青苔中间露出一块浅蓝色的石头，就往石头上一坐。可他马上"哎哟"一声跳得老高，因为他觉得就像坐在一只野蜂上面，野蜂打裤子后面那个窟窿狠狠地螫了他的屁股。

可回头一看，石头上根本没有野蜂，是石头烫得像煤块似的。石头平面上还露出些字，给泥糊住了。

没说的，这是块魔石头——小伊凡马上猜着了！他踢下一只鞋子，拿鞋后跟赶紧去擦掉石碑上的泥。

他于是读到这样的碑文：

谁把这块石头搬到山上打碎，
谁就能返老还童，从头活起。

碑文后面还有个图章，不是普普通通的圆图章，像村苏维埃盖的；也不是三角图章，像合作社发票上盖的。这圆章要复杂得多，有两个十字，三条尾巴，一个圈圈加一竖，还有四个逗号。

小伊凡读了碑文，觉得很不痛快。他才八岁，虚岁九岁。要是从头活起，他一年级就得再念一年，这他想都不敢想。这块石头要是让他不用念学校里的功课，一下子就从一年级跳到三年级，那又另当别论了！

可大家心中有数，即使是神通广大的魔石头，也从来没有这种法力。

愁眉苦脸的小伊凡打果园经过，又看到了那老头儿，只见他正在咳嗽，老停下来喘气，手里提着桶石灰浆，肩膀上掮着把树皮丝刷子。

小伊凡这孩子心地挺好，他心里想："瞧这个人，他本来可以随便用荨麻打我。可他可怜我，没有打。现在让我也可怜可怜他，叫他返老还童吧，这样他就不再咳嗽，不再瘸腿，呼吸也不再那么苦恼了。"

于是好心的小伊凡怀着一番好意，来到老头儿面前，开门见山，把事情一五一十地告诉了他。老头儿好好地谢过小伊凡，可是不肯离开职守上沼地去，因为世界上这种人还是有的，趁这个机会溜进果园，把水果偷得一个不剩。

老头儿叫小伊凡自己到沼地上去，把石头挖出来，搬到山上去。他待会上那儿，马上拿样什么把石头敲开。

事情闹成这样，叫小伊凡很不高兴。

可他没有拒绝，他不想让老头儿生气。第二天早晨，小伊凡拿起厚麻袋，带了双粗麻布手套，为的是不让手给石头烫伤，就上沼地去了。

小伊凡弄得浑身是泥，一塌糊涂，好不容易把石头从沼地里挖了出来。接着他就吐出舌头，往山脚的干草上一躺。

他心里说："好吧！我把这块石头推到山上去，等会儿瘸腿老头儿来了，就敲碎石头，返老还童，从头活起啦。大伙儿都说他一辈子吃够了苦。他年纪大了，孤单单的，挨过打，遍体鳞伤，不用说，从来没得到过幸福。别人却得到过。"他小伊凡虽然小，这种幸福倒也得到过三次。一次是他上学要迟到了，一位素不相识的司机用闪闪发亮的小汽车把他从农庄养马场一直送到了学校门口；一次是春天里，他赤手空拳在沟里捉到一条大梭鱼；还有一次是米特罗方叔叔带他进城过了一个快活的五一节。

小伊凡慷慨大方地拿定了主意："好，就让这位不幸的老头儿过一下好日子吧。"

他想到这里，站起身子，耐心地把那块石头推到山上去。

太阳快下山了，老头儿才上山向小伊凡走过来。这时小伊凡已经筋疲力尽，浑身发抖，蜷成一团，在烫石头旁边烘烤又脏又湿的衣服。

"老爷爷，你怎么不带锤子、斧子、铁棍啊？"小伊凡惊奇地叫起来，"难道你想用手把石头砸碎吗？"

"不，小伊凡，"老头儿回答说，"我不想用手把石头砸碎。我根本就不想砸碎它，因为我不想从头活起。"

老头儿说着，走到惊奇的小伊凡身边，摸摸他的头，小伊凡感到老头儿沉重的手掌在哆嗦。

老头儿对小伊凡说："当然，你准以为我老了，瘸着腿，残废了，很不幸，其实我是天底下最幸福的人。

“我这条腿是给一根木头‘咔嚓’压断的，可那时候我们是在推倒围墙——唉，还没经验，笨手笨脚的——正在构筑街垒，举行起义，要推翻你只在画片上看到过的沙皇。”

“我的牙给打落了，可那时候我们被投入了监狱，齐声歌唱革命歌曲。我的脸也在战斗中被马刀劈伤，可那时候最早的人民团队已经把白匪打败，并且把他们击溃了。”

“我害了伤寒病，待在又矮又冷的板棚里，躺在干草上翻来覆去折腾，说着胡话。可有一件事比死更可怕，就是我听说我们的国家遭到包围，敌人的军队要战胜我们。然而，我在重新闪耀的太阳的第一道光芒中清醒过来，我知道了，敌人又被击溃，我们又进攻啦。”

“我们这些幸福的人相互从一张病床向另一张病床伸出了瘦骨嶙峋的手，当时胆怯地幻想着，即使不在我们生前也在我们死后，我们的国家将变得像今天这样的强大。傻伊凡，这还不是幸福吗?！我为什么要另一次生命，要另一个青春时代呢？我曾经是过得很苦，可我过得光明正大！”

老头儿说到这里停下来，拿出烟斗来抽烟。

“对的，老爷爷！”小伊凡听了轻轻地说，“既然这样，这块石头本可以安安静静地躺在它那个沼地上，我干嘛费劲把它搬到山上来呢?”

老头儿说：“让它给大家看到，小伊凡，你看看以后会怎么样吧。”

许多年过去了，那块石头依然在那山上原封不动，没有砸碎。

不少人从它旁边经过，走过来看看它，想了想，摇摇头，又走了。

我有一回也到过那山上。当时我正心中有病，情绪很坏。我想：“怎么样，让我把石头砸碎，从头活起吧！”

可是我站着站着，及时改变了主意。

我想，邻居们看见我返老还童就会说："哈哈，瞧这小傻瓜！他显然没有把一辈子像样地过好，得不到自己的幸福，如今又想从头再来一次了。"

我捻了根烟卷，为了不浪费火柴，就着烫石头点着了。接着我沿着我自己的路，走了。

（任溶溶译）

导读

盖达尔（1904—1941）是阿尔卡季·彼得罗维奇·戈利科夫的笔名，意为"勇往直前的骑手"。盖达尔是苏联杰出的儿童文学作家。他出生在教师家庭，14 岁参加红军，17 岁任团指挥员，1924 年因伤退伍。他从 1925 年开始发表作品，主要有为少年儿童写的中篇小说《学校》(1930)、《军事秘密》(1935)、《丘克和盖克》(1939)、《铁木儿和他的队伍》(1940)。卫国战争一开始，他任《共青团真理报》战地记者。1941 年秋，他参加敌后游击队壮烈牺牲。1972 年，苏联政府为了表彰他对发展儿童文学所作出的杰出贡献，追授他列宁共青团奖。

《一块烫石头》是盖达尔童话的代表作。写小伊凡发现了一块可以使人返老还童的魔石，他想帮助一位伤残的守园老人恢复青春，却被老人拒绝了，因为老人认为：为人民的幸福献出自己的青春，就是世界上最幸福的人。读后让人思考：人为什么活着？人生的价值是什么？幸福意味着什么？据说盖达尔写这个故事时，是在莫斯科郊外列宁山采石场旁即兴一气呵成的，写完后曾向当地村童诵读，很受孩子们欢迎。今天，孩子们读到它，仍然会觉得它是"在今天刚刚流泻自作家笔端"一样，清新自然，意味深长，这充分表明这篇童话具有不朽的艺术魅力。

【前苏联】比安基

尾巴

苍蝇飞到人面前，向人说：

“你是动物之王，你什么都会做。你给我安一条尾巴吧！”

“你要尾巴来干什么？”人问道。

“所有的野兽有尾巴，不都是为了好看嘛！”苍蝇说，“我要尾巴，也是为了好看。”

“我还没听说过，有哪种野兽长一条尾巴是为了好看。再说，你没有尾巴，不也活得好好的么？”

苍蝇一听生了气，就给人捣起乱来了：一会儿落在甜点心上，一会儿落在人的鼻子上，一会儿在人的左耳旁“嗡嗡”叫，一会儿在人的右耳旁“嗡嗡”叫。真讨厌死了！人被他吵得再也受不了啦，就向他说：

“唉，好吧，苍蝇，你飞到树林里去吧，飞到河边去吧，飞到田野里去吧！要是你在那儿能找到一只有尾巴单是为了好看的飞禽走兽或者爬虫，那你就可以把他的尾巴拿去，我许可你拿。”

苍蝇听了很高兴，从小窗里飞了出去。

他飞过花园，看见树叶上有一条蛞蝓在爬，就飞到蛞蝓跟前，大声叫道：

“蛞蝓，把你的尾巴送给我吧！你长这条尾巴是为了好看。”

“这叫什么话呀！这叫什么话呀！”蛞蝓说，“我根本没有尾巴——这是我的肚子。我把肚子一缩一放，一缩一放，才能往前爬。我是腹足动物。”

苍蝇发现自己搞错了，就往前飞去。

他飞到小河边，小河里有一条鱼、一只虾——他们俩都有尾巴。苍蝇向鱼说：

“把你的尾巴给我吧！你长尾巴是为了好看。”

“才不是为了好看呢！”鱼回答，“我的尾巴是舵。你看，我需要往右拐弯的时候，就把尾巴往右摆；需要往左拐弯的时候，就把尾巴往左摆。我可不能把尾巴送给你。”

苍蝇向虾说：

“虾呀，把你的尾巴给我吧！”

“我不能给你，”虾说，“我的脚又细又弱，我不能用脚划水。我的尾巴倒是宽大有力。我用尾巴一拍水，身子就往前一弹。拍着，拍着，我就往前游去了，乐意往哪儿游，就往哪儿游。我的尾巴是当桨用的。”

苍蝇继续往前飞。他飞到树林里，看见啄木鸟蹲在树枝上。苍蝇飞到啄木鸟跟前说：“啄木鸟，把你的尾巴给我吧！你长这条尾巴，只是为了好看。”

“你这话才叫怪呢！”啄木鸟回答，“我要是没有这条尾巴，还怎么凿树干，还怎么给自己找食吃，还怎么给孩子们造窝？”

“你用嘴好了。”苍蝇说。

“嘴当然是用得着的，”啄木鸟回答说，“不过，没有尾巴也不成。喏，你看，我是怎样凿的。”

啄木鸟把又硬又结实的尾巴支在树皮上，把整个身子一晃，嘴照准树干凿了下去——只见木屑一阵乱飞！

苍蝇一看：不错，啄木鸟凿树的时候，的确是坐在尾巴上，他离了尾巴是不行的。尾巴是他的支柱。

苍蝇又往前飞。

他看见矮树丛里有一只母鹿，带着几只小鹿。母鹿的尾巴很短，是白色、毛蓬蓬的。苍蝇“嗡嗡”地叫了起来：

“母鹿，把你的小尾巴送给我吧！”

母鹿听了大吃一惊。

“你在说什么！你在说什么！”母鹿说，“如果我把尾巴给了你，那我的小鹿都得丢了。”

“你的尾巴对小鹿有什么用处？”苍蝇惊讶地问道。

“当然有用，”母鹿说，“比方说，有狼来追我们的时候，我得藏起来，就往树林里跑。小鹿跟在我后头跑。在许多树木当中，他们看不见我。于是我就摇小白尾巴，像摇手帕似的，‘往这边跑呀，这边！’他们看见前面有个白东西一闪一闪，就紧紧地跟在我后面跑。这样，我们一家子都可以逃命。”

没有法子，苍蝇只好再往前飞。

他飞了一会儿，碰见一只狐狸。嗬！这条狐狸尾巴真漂亮！蓬蓬松松，火红火红的，美丽极了！

“好呀，”苍蝇心想，“这条尾巴准得归我了。”

于是他飞到狐狸跟前去嚷道：

“给我尾巴！”

“苍蝇，你在说些什么呀！”狐狸回答，“我要是没有尾巴，就活不成了。我要是没有尾巴，狗追我的时候，一下子就把我捉住了。靠了这条尾巴，我可以把狗骗过去。”

“你怎样用尾巴骗狗呢？”苍蝇问道。

“等狗快要追上我的时候，我就甩尾巴！把尾巴往右甩，自己往左逃。狗看见我的尾巴往右甩，就往右追。等他明白是搞错了的时候，我已经跑远了。”

苍蝇看到所有野兽的尾巴都是有用的，不论是在树林里的，还是在河水里的，都没有多余的尾巴。没有法子，苍蝇只好飞回家去了。

他想道：

“我只好还是去给人捣乱，闹得他心烦，他就只好给我做一条尾巴。”

人正坐在窗口，眼睛望着院子里。

苍蝇落在人的鼻子上。人“啪”的一巴掌，打在自己鼻子上。哪知苍蝇已经飞上了他的脑门儿。人又“啪”的一巴掌，打在自己脑门儿上，可是苍蝇又飞回鼻子上去了。

“苍蝇，你别给我捣乱了！”人说。

“我就是不走，”苍蝇“嗡嗡”地说，“你干吗取笑我，打发我去找没有用的尾巴？所有的野兽我都问过了——所有野兽的尾巴，都是有用的。”

人摆脱不掉苍蝇的纠缠，觉得苍蝇实在太讨厌！就想了想，说：

“苍蝇，苍蝇，你看，院子里有一头牛，你去问问牛，他的尾巴是干什么用的。”

“好吧！”苍蝇说，“我再去问问牛，如果牛也不肯把尾巴送给我，人呀，我非把你给烦死不可！”

苍蝇飞出小窗，落在牛背上，一个劲儿“嗡嗡”地叫：

“牛呀，牛呀，你要尾巴来干什么？牛呀，牛呀，你要尾巴来干什么？”

半天，牛也没做声，后来突然用尾巴往自己背上一抽，恰好打中了苍蝇。

苍蝇摔了下去，六脚朝天断了气。

人从小窗口里说：

“苍蝇，你这叫作活该！你不应该给人找麻烦，也不应该给野兽找麻烦。你太讨厌了！”

（韦苇译）

导读

比安基(1894—1959),生长于列宁格勒一个有名望的生物学家家庭,是前苏联著名儿童文学作家、大自然文学作家。在父亲的影响下,他也成了生物学家、大自然探索者和研究者。他以大自然为描写对象进行儿童文学创作,其作品数量之多、品位之高、流布空间之广、传播时间之长、赢得读者之多,在整部俄罗斯儿童文学史上很少有人可以与之比拟。他的代表性作品有中篇童话《林中小屋》《小老鼠比克》等,童话名篇有《尾巴》《小熊洗澡》《小蚂蚁历险记》等。1924—1925年完成的《森林报》是一部趣味盎然地引导少年儿童探索大自然的皇皇巨著,号称"森林百科全书"。比安基的大自然文学作品成为世界儿童文学的重要组成部分。

《尾巴》是一篇科学童话,或者说是知识童话,通过一只爱虚荣的苍蝇向动物之王——人挑战,要求人给他安一条尾巴却最终被牛尾巴打死了的故事,向孩子们介绍了动物尾巴的功能,同时教育孩子们盲目地追慕不切实际的虚荣甚至要付出生命的代价。知识性、趣味性、教育性的完美结合,使这篇童话具有了长久的艺术魅力。以尾巴为题材来构思创作科学童话,在我国也有成功的尝试,比如叶永烈的《借尾巴》、鲁克的《谁丢了尾巴》,都有异曲同工之妙。有兴趣的读者不妨找来一读,细心的读者还会发现同一题材、同一表现形式(童话)、同一读者对象(幼儿)的这三篇低幼童话各有其独具的艺术感染力。

【美国】哈利斯

兔子脱险记

一天，兔子、狐狸、浣熊与白熊在一起整理一块地，他们打算在这块地里种上一些玉米。火辣辣的太阳当头照着。干了一会儿，兔子累了，可他不敢停下来，他怕狐狸叫他懒骨头。所以他继续干着，把垃圾运走，把树枝堆成一堆。干着干着，他高声叫了起来，说手上扎了一根刺，于是借故溜开，想找阴凉的地方休息休息。他来到一口水井前。井架上吊着两只水桶，一只在上，一只在下。

“噢，这儿看上去很凉快，”兔子自言自语地说，“我正要找这样一个凉快的地方，我想我可以爬到里面去睡一会。”

说着，他便跳进了桶里。谁知兔子刚钻进去，水桶便往井底落下去，而另一只却露出井面高挂在井架上。这下兔子可慌了神，但又不知如何是好。

很快，他坐的那只水桶碰到了水面。兔子坐在桶里一动也不敢动，因为他不知道接下来会发生什么事。他在水桶里坐了一会，身子不由得颤抖起来。

兔子的一举一动狐狸随时都注意着。当兔子借故从地里溜走时，狐狸就一直悄悄地跟在他后面。他知道兔子又是在想什么鬼主意了，所以他暗地里注视着兔子的行动。

狐狸看着兔子来到井边，看着兔子一跃进了水桶，又看见他的身影很快消失了。狐狸看到这一切，吃惊地张开了大嘴。他在灌木丛里坐了下来，想啊想啊，可是他无论如何也弄不懂这究竟是怎么回事。“唔，这下可把我难住了，兔子一定是把钱藏到了井底；如果不是这样，也许他在井底发现了一个金矿；如果这还不是，那我可要下去探个究竟了。"

狐狸朝前爬了几步，卧在地面上听了听，他没听到任何声音，又朝前爬了几步，把耳朵贴在地上听了听，依然没有听到任何声音。又过了一会，他站了起来，朝井里窥探了一下，他没有看见什么，也没有听到什么。

这时，兔子蜷缩在水桶里害怕极了。不敢动一下身体，因为他害怕水桶打翻自己会掉到水里。他只有坐在水桶里不停地祈祷。

"嗨，兔老弟，你在井里干什么呀?"狐狸趴在井旁对着下面叫道。

"你在说谁？是我吗？噢，我正在钓鱼，狐狸老兄。"兔子坐在井里的水桶里装模作样地说，"我想在吃晚饭的时候一下拿出好多鱼，让你们大吃一惊，这儿的鱼多极了。"

"井里真有那么多的鱼吗？兔老弟。"狐狸接着又问。"多极了，狐狸老兄。唉，太多了，简直抓也抓不过来，它们在水里活蹦乱跳的。快，快下来帮帮我，狐狸老兄，"兔子大声说道。

"可我怎么下去呢，兔老弟？"

"很容易，只要你跳进井架上的那只水桶，狐狸老兄，它便会把你送下来。既安全又舒服，快下来吧！"

听了兔子的话，狐狸立刻跳到了水桶里。当狐狸朝井下沉去时，可想而知，坐在另一只水桶里的兔子则从井下升了上来。当两只水桶在半路相遇时，兔子对狐狸招了招手说："再见。狐狸老兄，小心你的衣服。"

（乔长森等译）

导读

哈利斯(1848—1908)是美国民间文学研究者和作家。1880年，他把美国黑人的口述童话以“兔老弟”这一人物线索贯穿起来，出版了一本童话故事集——《黎莫斯的故事》。这部童话故事集当时在美国产生了轰动效应，一时传遍欧洲，被译成27种语言。当时的美国孩子几乎都听过这些故事，正如马克·吐温所评述的：“1880年哈利斯发表的童话在全国获得了广泛的声誉，当时所有孩子都如同听什么哲人和先知的故事那样听了这些故事。”

《黎莫斯的故事》中特别精彩的是讲述动物那一部分内容，尤其是那篇描写永不气馁的白兔和狐狸智斗的中篇童话《白兔和他的敌人》。故事中的白兔凭着自己的智慧、机敏、勇敢和沉着，同设下圈套和陷阱伤害他的狐狸、狼和熊作不屈的斗争，最后终于战胜他们。白兔这个聪明、机灵的角色，是智谋的化身。他常常用心智为自己解难，正像这篇童话中的兔子那样，他利用狐狸对鱼的贪馋而引诱狐狸中计，使自己脱离困境。

【美国】霍桑

点金术

从前，有一个很富的人，他是个国王，名叫美戴斯。他有一个小女儿，除我以外，谁也没听说过她。她的名字也许我根本不知道，也许完全忘掉了。因为我喜欢给小姑娘取怪名字，所以我就叫她“金玛丽”。

这位美戴斯国王非常喜爱金子，爱金子胜过爱世界上任何东西。他珍爱他的王冠主要因为它是用贵重的黄金做的。如果有什么别的东西使他喜爱，或者有金子一半那样喜爱，那就是这个在他座椅周围玩得兴高采烈的小女孩了。但是美戴斯越爱他的女儿，他追求财富的欲望就越强烈。这个蠢人以为他能够为宝贝女儿做的最好的事，就是把开天辟地以来最大的一堆黄灿灿、亮闪闪的金子留给她。因此，他所有念头和所有的时间都放在这唯一的目的上。如果他碰巧看到金色的晚霞，他就希望这些云彩是真正的金子，并且他能够把这些“金子做的云彩”安全地塞进他牢固的箱子里。当小金玛丽手里抱着一束金凤花和蒲公英跑来迎接他的时候，他常常说：“嗨，嗨，孩子！要是这些花像它们的外表那样，都是金子的话，那才值得摘下它们呢！”

然而，在他早先还不是那么疯狂地追求财富的时候，美戴斯国王非常喜爱鲜花。他有一座花园，花园里种着世人曾经看到过或闻到过的最大最美的玫瑰。这些玫瑰依旧种在花园里，就跟美戴斯国王过去整天价观赏它们、嗅它们香味的时候一样大、一样可爱，并且一样芬芳。但现在，如果他观望它们的话，那只是在计算如果这无数玫瑰花瓣每一瓣都是薄金片，这花园将值多少钱。而且虽然他曾经爱好过音乐(不管关于他的耳朵像驴子的耳朵这种传说),但是现在可怜的美戴斯的唯一音乐只是金币互相敲击的丁当声。最后(就像人们如果不注意自己变得愈来愈聪明,那他们就一定会变得越来越愚蠢一样),美戴斯变得极端的不近情理,他对于不是金子的东西,几乎连看一看、摸一摸都受不了。因此,他养成了习惯,每天要在一间黝黑阴沉的房间里,在地下,在他王宫的地窖里花费大部分时间。他的财富就保藏在这里。每天美戴斯要寻找特别的、快乐的时候,他就到这阴沉的洞穴里去,其实它比一所地牢好不了多少。他在这里仔细地锁上门,然后拿出一袋金币,或者一只像洗脸盆大小的金杯或者一根沉甸甸的金条,或者许多金沙,把它们从房间的阴暗角落拿到狭长的阳光下,这阳光是从地牢似的窗口处射进来的。他珍爱阳光没有别的原因,只是因为没有阳光的帮助,他的财富就不能闪光。于是他就计算袋子里的金币;把金条向上抛去,当它落下来时接住它;把金沙捞起来从手指缝中滑下去;望着擦得晶亮的金杯四周映照出来的他自己可笑的面容,并且低声自言自语道:"哦,美戴斯,富有的美戴斯国王,他是多么幸福的人啊!"但是从金杯光滑的表面照出来的他的脸容一直在向他打哈哈,看到这种样子真令人可笑。这脸容似乎觉察到了他的愚蠢举动,并且要淘气地取笑他。

美戴斯自称为幸福的人,但他觉得还没有得到应有的幸福。他的欢乐的顶点是永远达不到的,除非整个世界成为他的宝库,并且全世界都装满了应该全部都属于他的黄金。

现在,我用不着提醒像你们这样聪明的小百姓,在很早很早的古时候,当美戴斯国王活着的时候,那时所发生的许许多多事情,要是发生在今天我们的土地上,一定会被认为不可思议。另一方面,现今所发生的许许多多事情,不但我们觉得不可思议,古时候的人民也一定会对这些事情目瞪口呆。总之,我认为,我们的时代比古代更稀奇古怪，但是，不管怎么样，我必须把我的故事讲下去。

一天，美戴斯像通常一样正在他的宝库中作乐，这时候他看见一个影子落在一堆堆的金子上面。他抬眼望过去，看到的竟是一个陌生人的形象，这陌生人站在明亮而狭长的阳光中！他是个年轻人，面色红润，令人愉快。究竟这是由于美戴斯国王的幻想使一切事物都蒙上一层黄色呢，还是由于别的什么原因，他总觉得这陌生人看着他笑的笑容中含有一种金色的光芒。当然，尽管陌生人的身影遮断了阳光，但是现在有一道比以前更加明亮的光线照在所有堆起来的财宝上。连最远的角落也受到这光线的照耀，而这陌生人笑起来的时候，就好像喷射出火舌迸发出火花一样，一切都被照亮了。

美戴斯知道他曾经仔细地用钥匙把锁锁上，而且一般人的力量绝不可能破门而入到他的宝库中来，因此，他断定来人不是世间的凡人。他究竟是谁，这是用不着告诉你们的。在那时候，地球还是个新事物，被认为是赋有超自然力量的神常常会来降临，而且这些神常常半开玩笑半当真地关心男女和儿童的忧患与欢乐。美戴斯在这以前遇到过这样的神，因而再遇到一位神自然不会觉得有什么不快。这陌生人的神色如果不算是慈悲为怀的，也确实是非常和气和非常善良的，如果怀疑他有什么恶意，那完全是没有根据的。很可能，他的降临是帮美戴斯一个忙。那么，除了增加美戴斯的累累宝藏，还有什么忙好帮呢。

这陌生人四面打量了一下这房间，他那光彩夺目的笑容对着所有堆在那里金器财宝更显得神采焕发。他又转过脸来对着美戴斯。

“你是个富人，美戴斯朋友！”他说道，“我不相信世界上有任何别的房间藏有像你这个房间堆着的那么多金子。”

“我积得不算少——不算少，”美戴斯用不满意的声调回答，“但是，毕竟，当你考虑到我花了毕生之力才把这笔金子积聚起来的话，这就微不足道了。要是一个人能活一千年，那也许会有发财致富的一天！”“什么！”这陌生人惊叫道，“那么你还没满足么？”

美戴斯点点头。

“请问怎样才能使你满足呢？”这陌生人问道，“我很想知道，只是为了好奇的缘故。”

美戴斯踌躇了一会，沉思着。他预感到这个脸带愉快的笑容、全身发出灿灿金光的陌生人到这里来，一定具有满足他的最大愿望的力量和目的。因此，现在是幸运的时刻到了，凡是他想得到提得出的要求，他只要开开口就能获得一切可能得到，甚至似乎不可能得到的东西。所以他想了又想，想了又想，在他的想象中，一座金山叠在一座金山上，他想象不出金山的增长有什么止境。最后，美戴斯国王想出了一个好主意。这个主意确实像他如此热爱的发光的金属一样美好。

他抬起头来，迎面望着满身光彩的陌生人的脸。

“唔，美戴斯，”来客说道，“我看得出，你终于想出了能使你满足的事了。把你的愿望告诉我吧。”

“这不过是这样，”美戴斯回答道，“我对于收集财富要花费这么大的劲感到厌倦了，我尽了最大的努力，可是看到这金堆还是那么微小。我希望我摸到的一切东西都变成金子！”

陌生人笑得张大了嘴，张得那么大，好像迸发出一轮红日，充塞于满房之内，照耀着阴暗的溪谷、秋天的黄叶——这些金块和金片非常像黄叶——在阳光的金辉照耀下撒落在这溪谷之中。

“点金术！”他叫喊道，“你实在值得赞扬，美戴斯朋友，居然想出这样美妙的主意来。但你肯定这一定会使你满足吗？”

“那当然，”美戴斯说道。

“你有了点金术之后绝不后悔么？”

“怎么会后悔呢?”美戴斯问道,“为了获得最大的幸福,别的我什么都可以不要。”

“那就如你所愿,”陌生人回答,一面挥着手表示告别,“明天日出时,你将发现你已被赋予点金术了。”

于是,陌生人的身影变得极其明亮了,美戴斯不由自主地闭上了眼睛。再睁开眼睛时,他只看到房间一道金色的阳光,在他四周是他花毕生工夫囤积起来的贵重金属的闪闪发光。那一晚美戴斯是否睡得着,故事没有说,可是,醒着也罢,睡着也罢,他的心境就像一个小孩子的心境:第二天早晨他将得到一件无比美丽的新玩具似的。无论如何,山顶刚一露出黎明的曙光,美戴斯国王已经完全醒了,他就把双臂伸出床外,去摸够得到的东西。他急于要证明陌生人应允的点金术是否真的已经实现了。所以他把手指放在床旁的椅子上,放在别的各种物品上,但是使他很伤心很失望的是这些东西还是原来的老样子。确实,他非常担心的是那个满身光辉的陌生人只是梦中人物,或者这陌生人只是同他开开玩笑。要是不管他有多大的期望,美戴斯仍必须满足他用普通方法凑起来的那一点点金子,而不能手指一点就变成金子,那该是多么可怜啊!

所有这段时间里,天空只显出黎明前的鱼肚白色,一道阳光照在天边,美戴斯还看不到阳光。他闷闷不乐地躺着,为他希望的破灭而难受。他感到愈来愈忧郁了,直到最初的阳光照进窗口,他头上的天花板染成金色。美戴斯觉得这道明亮耀眼的金色阳光相当奇特地在白色床单上反射出光来。他更加仔细地望过去,使他感到非常吃惊和非常快乐的是,他发现这块麻织品已经变成最纯最亮的金子织物了!点金术随着第一道阳光来到他身上了!

美戴斯突然跳了起来,欢乐得如痴如狂,满房间奔跑,碰上什么东西就握住什么东西。他握着一根床柱,它立刻变成了空心的金柱子。他把一块窗帷拉向一边,以便更清楚地看看他所创造的奇迹;窗帷縋子在他手中变得重了起来——成了一大堆金子。他从桌子上拿起一本书来。他刚一碰到,那本书就呈现出现在常常遇见的装订华美烫着金边的书籍的样子来;而当他的手指一页页地翻过去的时候,嘿!它成了一捆薄薄的金片,书中包含的所有的智慧变得难以阅读了。他急忙穿上衣服,看到自己穿了一套华丽绝伦的金子衣服,他欣喜若狂了。这套金子衣服的分量虽然给他增加了一点负担,但它仍然保持着柔软的性质。他抽出小金玛丽给他缝过的手帕,手帕也成了金子,手帕边上这可爱的孩子所缝的整齐好看的针脚成了金线!

不知道什么原因,这最后一个变化并不使美戴斯国王十分高兴。他宁愿他的小女儿手工艺品保持她爬上他的膝盖并把它放在他手中那时候的原样。

但是为一件小事使自己烦恼是不值得的。美戴斯从口袋里拿出眼镜来戴上,以便更分明地看看他所进行的事。那时候,普通人用的眼镜还没有发明,但国王们都已经戴上了,否则,美戴斯哪来的眼镜呢?可是,使他非常困惑的是,这副眼镜玻璃虽然极好,但他发现不能用它们来看东西了。这是世界上最自然的事,因为,把眼镜一拿出来,透明的镜片就变成黄色的金片了,失去了眼镜的作用。这使美戴斯感到很不方便,即使用全部财产,他再也买不到一副可用的眼镜了。

"然而,这算不了什么,"他非常冷静地想,"我们指望大的好处,就不能不带来一些小的不方便。点金术值得牺牲一副眼镜,至少没有牺牲眼力本身。我自己的眼睛可作一般的用途,小金玛丽马上就要长大成人,可以念书给我听。"

聪明的美戴斯国王由于好运而兴高采烈,他觉得王宫不够宽广,容纳不下他了。因此他走下楼去,一面笑着,一面看到他下楼时手扶过的梯杆变成一根根发亮的金条。他举起门闩(它刚才还是铜的,他的手指一离开它就变成金的了),走进花园里去了。他在那里看到许多盛开的美丽的玫瑰花,还有许多刚开放的和十分好看的含苞待放的玫瑰花。清晨微风吹来,玫瑰花香非常醉人。它们柔和的玫瑰红是世界上最好看的景色之一;这些玫瑰花看起来多么温和,多么端庄,并且充满甜蜜的宁静。

但是美戴斯却能把玫瑰花变成在他看来远为珍贵的东西。于是他在花丛中费力地走来走去,并且丝毫不知疲倦地施行他的点金术,一直点到每一朵花,每一颗蓓蕾,甚至有些花朵的花蕊里的虫子都变成金子为止。在这件壮举完成的时候,美戴斯国王被请去吃早饭了,清晨的空气使他胃口大开,他急急忙忙回到宫殿去。

美戴斯时代国王的早餐通常是什么样的,我实在不知道,现在也不能撇开故事来进行考察。可是,我深信,那天早晨的早饭有热烙饼、几条小鳟鱼、烤马铃薯、煮鸡蛋和给美戴斯国王本人的咖啡,给他女儿金玛丽的一盘浸泡在牛奶中的面包。这顿早饭是很适宜供奉国王的,在这之前,美戴斯国王没有吃过比这更好的早餐了。

小金玛丽还没有出来。他父亲吩咐把她叫来,他自己在桌旁坐定,等着孩子到来,以便共吃早饭。天公地道地说,美戴斯确实爱他的女儿,由于鸿运降临,这天早上就格外爱她了。不一会儿,他就听见她沿着过道一路伤心地哭着过来了。这情形使他吃惊,因为金玛丽是你在闷热的夏天所见到的最快活的小人之一,一年里她难得掉一滴眼泪。当美戴斯听到她哭泣时,他决心要使小金玛丽高兴起来,他要使她感到出奇地高兴,于是他在桌边上探过身去,摸了摸他女儿的饭碗(这本是一只瓷碗,周围有漂亮的花纹),把它变成了闪闪发光的金碗。

这时候,金玛丽慢吞吞、郁郁不欢地开了门,进来的时候还用围裙擦着眼睛。她依旧抽泣着，仿佛她的心都要碎了一般。

“哎呀，我的小姑娘！”美戴斯嚷道，“这样美好的大清早，你怎么啦？”

金玛丽没有把围裙从眼睛旁拿开，却伸出一只手来，手中是一朵美戴斯刚刚把它变成金子的玫瑰花。

“美啊！”她父亲叫道，“这朵华丽的金玫瑰怎么会使你哭起来呢？”

“啊，亲爱的父亲！”这孩子回答，一面抽抽噎噎地使劲说出话来，“它不美，而且是有花以来最难看的了！我一穿上衣服就跑进花园里给你采玫瑰花，因为我知道你喜欢玫瑰花，尤其喜欢你小女儿采的玫瑰花。但是哎呀呀！你想是怎么回事？这样的不幸！所有美丽的玫瑰花，它们本来香得这么浓郁，红得那么可爱，现在都凋萎了，弄坏了！它们变得很黄了，你看这朵，它们不再有香味了！这究竟是怎么回事呢？”

“嗳，我亲爱的小女儿——别为这哭了！”美戴斯说，他不好意思承认，她的苦恼正是他造成的。“坐下吃面包和牛奶吧！把那样一朵金玫瑰（它将存在好几百年），去换一朵一天之内就会枯萎的普通玫瑰，你会发现这是挺容易的。”

“我不喜欢这种样子的玫瑰花！”金玛丽哭道，一面轻蔑地把它扔掉了，“它没有香味，它的硬花瓣刺痛了我的鼻子！”

这女孩现在坐在桌旁，但她对于凋萎的玫瑰花太伤心了，使她没注意到瓷碗的奇妙变化。也许这倒更好些，因为金玛丽常以观赏古怪的人形、奇异的树木以及房屋来取乐，这些花纹本来都漆在碗的四周的，可现在这些装饰都消失在金子的黄色之中了。

这时候美戴斯倒了一杯咖啡，当然，这把咖啡壶不论他在拿起来的时候是什么金属，他一放下去就变成金子了。他心里想，像他这样俭朴的国王，每吃一顿早饭都必定要把所有食具都变成金子，这真是一种豪华的奢侈的生活方式，并且对这样保证他财富的安全开始感到为难起来。食橱和厨房都不再是储藏像金碗和金咖啡壶这样贵重物品的安全处所了。

他这样想着，一面将一匙咖啡举到唇边啜饮，可是他的嘴唇刚一触到咖啡，它立刻变成了金液，随即就硬化成一块金子，看到这情形，他不禁大吃一惊！

“啊！”美戴斯惊得叫了起来。

“什么事呀，父亲？”小金玛丽问道，眼睛依旧泪汪汪地注视着他。

“没什么，孩子，没什么！”美戴斯说，“你喝牛奶吧，趁它还没有凉呢。”

他在盘子上拿起一条美味的小鳟鱼，用手指试着摸摸它的尾巴。可怕的是：它立即从一条煎得很可口的鳟鱼变成了金鱼，但不是人们陈列在起居室里作摆设用的玻璃缸里的金鱼，不，它确确实实是一条黄金制的鱼，它看上去像是世界上最高超的金匠精工制作出来的金子鱼。细细的鱼刺现在都成了金丝；鳍和尾都成了薄薄的金片，鱼身上还有叉痕，这是一条用金子仿制的，与具有纤巧柔软的外表、火候恰到好处的煎鱼一模一样的金鱼。你可以设想，这是一件非常精致的工艺品，但是美戴斯国王在这个时候宁愿在他盘子中有一条可吃的真鳟鱼，而不要这条精致而贵重的仿制品。

“我真不明白，”他心里想，“我怎么才能吃到一顿早饭呢！”

他拿起一块热气腾腾的饼子，还没有来得及掰开，它马上就显出黄乎乎的玉米粉的颜色了，虽然它刚才还是用上等白面粉做的饼子，这使他非常苦恼。老实说，它要真是一块热的玉米粉饼，美戴斯想必对它比现在还要珍视得多，现在它的硬性和增加的重量使他非常痛切地感到这是金子，不是饼子。他几乎绝望地拿起一个煮鸡蛋，它立刻发生与鳟鱼和饼子同样的变化。它确实像故事书[1]中那只以善于下蛋而出名的鹅所下的蛋，那么美戴斯国王就成了故事中唯一的鹅了。

“唔，这真是进退两难啊！”他想，身体向后靠在椅背上，同时十分羡慕地望着小金玛丽，她正津津有味地吃着她的面包和牛奶。“这样一顿奢华的早餐放在我面前，可是什么也没法吃！”

他希望用极快的方法来避免他现在所遇到的麻烦，于是，他抓了一个热土豆塞进嘴里，急急火火地想吞咽下去。但是点金术太灵验了。他发现他满口塞的不是粉质的土豆，而是坚硬的金属，把他的舌头给烫坏了。他大叫大嚷，从餐桌旁边跳起来，在房间乱跳乱踩，又痛苦又恐惧。

“父亲，亲爱的父亲！”小金玛丽是一个很孝顺的孩子，她叫道，“请问怎么啦？你烫了嘴吗？”

“啊，亲爱的孩子，”美戴斯伤心地呻吟道，“我不知道你可怜的父亲结果会变成什么样！”

我亲爱的小朋友，你们一生中可曾听见过这样可怜的事没有？可以毫不夸张地说，摆在国王面前的是最富贵的早餐，正是由于它的富贵，才使它变得毫无用处。最穷苦的劳动者坐下来啃面包皮、喝白开水，也比美戴斯国王强得多。美戴斯国王精致的食物确实价值等于同等重量的黄金，那么，怎么办呢？美戴斯吃早饭时已经饿得不行了。他在中饭时能饿得少些么？他在吃晚饭时的胃口会变得像饿狼那样，然而晚饭，毫无疑问，一定也像现在一样摆在他面前的将是同样不能消化的食品！你们想想看，这样继续下去，他还能活多久呢？

这些想法折磨着聪明的美戴斯国王，使他开始怀疑财富是不是

---

① 指伊索寓言中鹅生金蛋的故事。

世上最值得向往的东西。但这只是刹那间的想法。美戴斯被金黄色金属的闪闪光芒弄得如此神魂颠倒,使他仍然不愿为了一餐早饭而放弃点金术。想想看,一顿食物值多少钱！这也等于是说,为了几条煎鳟鱼、一个鸡蛋、一个土豆、一块热饼和一杯咖啡,就得花上千千万万金钱(要是永远不断地算下去,还得多上几百万倍哩)!

“那可实在太贵了。”美戴斯想。

然而,他饿得太厉害了,加上他窘迫的处境,使他又大声呻吟起来,而且非常之伤心。我们可爱的金玛丽忍不住了。她坐了一会儿,注视着她的父亲,同时竭尽她的小智慧,努力要弄清楚他出了什么事。于是,她在要安慰父亲的亲切而悲伤的感情冲动之下,从椅子上站起来,伸出双臂亲切地抱住他的膝盖。他俯下身来吻她。他觉得他的小女儿的爱比他用点金术获得的一切还要贵重一千倍。

“我的宝贝,宝贝金玛丽!”他叫道。

但是金玛丽没有回答。

呜呼,他干了什么呀？这个陌生人给予他的这项礼物多害人哪！美戴斯的嘴唇刚一碰着金玛丽的前额,就发生了一个变化。她那向来可爱的甜蜜而红润的脸庞呈现出闪烁的黄色,脸颊上凝结着黄色的泪珠。她的美丽棕色鬈发也显出同样的色泽。她柔软而娇嫩的身躯在她父亲拥抱的双臂中变得坚硬而不可弯曲了。哦,多么可怕的不幸！小金玛丽成了他对财富贪得无厌的牺牲品了,她不再是个有生命的孩子,而是尊金像了!

是啊,她在那儿,脸上凝结着爱和忧伤,以及悲悯和不安的神情。这是人世间所能见到的最好看也是最悲哀的景象。金玛丽的全部面貌与特征依然如故,连可爱的小酒靥也留在她的金脸上。女儿已经不存在了,留下的只有这尊金像了,见到这金像的形态神情越逼真,做父亲的越痛苦。每当美戴斯特别喜爱这孩子的时候,他总爱说一句话，说她抵得上和她同等重量的金子的价值。而现在这话成为完全真实的了。他终于觉得，他女儿的那颗爱他的热情而温柔的心价值上远远超过堆积得像天一样高的全部财富！可是，这已经太晚了。如果我告诉你，在充分满足他的全部欲望之后，美戴斯怎样用力绞搓着手伤心欲绝，怎样既不忍心正视金玛丽又不忍心不去看她，那将是一个悲惨至极的故事。当他眼睛注视着这尊金像的时候，他简直不能相信她已经变成金子。但是，再看一眼，这尊宝贵的小金像，黄色的脸颊上有一滴黄色的泪珠，神情如此悲悯和温柔，似乎那种神情就足以使金子软化，重新恢复肉体。可是，这是不可能的。所以美戴斯只得绞搓双手，一心祈求，但愿他亲爱的孩子的脸上能恢复一点红润，那么即使丧失全部财产而成为世上最贫穷的人，他也心甘情愿。

正当他伤心绝望的时候，突然看见门旁站着一个陌生人。美戴斯低下头，一声不吭，因为他认出这就是上一天在宝库室里出现的陌生人。就是这陌生人赐他以造成灾难的点金术。陌生人的脸上依旧带着笑容，这笑容似乎使满房间散发出金色的光彩，并且在小金玛丽的像上和在美戴斯摸过之后变成金子的其他物品上闪烁发光。

"嗯，美戴斯朋友，"这陌生人说，"请问点金术给你带来什么成就？"

美戴斯摇摇头。

"我非常可怜。"他说。

"非常可怜？真的吗！"这陌生人叫道，"这怎么会呢？我没有对你忠实地实践我的诺言么？你没有得到你心里所向往的最宝贵的东西么？"

"金子不是最宝贵的，"美戴斯回答，"而我却丧失了我真正热爱的一切。"

"啊！从昨天起，你有所发现了么？"陌生人说，"那么，让我们考虑考虑，在两件东西之中，哪一件你认为是真正有价值的——点金术还是一杯干净的冷水?”

“哦，神圣的水啊!”美戴斯叫道，“它再也不会来滋润我干渴的喉咙了!”

“点金术，”陌生人继续道，“还是一片干面包?”

“一片面包，”美戴斯回答，“抵得上世界上所有的金子。”

“点金术还是你自己的小金玛丽，她一小时前还是那么热情、温柔和可爱?”陌生人又说。

“哦，我的孩子，我亲爱的孩子!”可怜的美戴斯哭道，一面绞着双手，“我绝不愿意以她嘴旁的小酒靥来换取能把整个地球变成坚硬金块的法术!”

“你比以前更聪明了，美戴斯国王!”陌生人说，严肃地望着他，“你自己的心，我看得出来，还没有完全从血肉变成金子。如果你的心变成金子，那真是无可救药了。但是你看来还能够理解最普通的道理:人人都能拿到的东西，要比芸芸众生惊叹不已、竞相追求的财富更为贵重。现在请告诉我，你真心诚意要解脱这点金术么?”

“我恨它!”美戴斯回答。

一只苍蝇停在他鼻子上，但立刻掉到地板上，因为它也成了金子。美戴斯一阵战栗。

“那么，去吧，”陌生人说，跳进流过你花园尽头的那条河里去，在那条河中装一瓶河水，把水洒在你要它变回原来的物质的东西上。如果你诚恳而真挚地去做，它能补救由于你的贪婪所造成的灾害。”

美戴斯国王深深地鞠躬，当他抬起头来时，这个光芒四射的陌生人消失了。

你当然相信，美戴斯立刻抓起一把陶土做的大水罐(但是，哎呀!他一摸之后，它就不再是陶器了)，急忙向河边赶去。他一路跑着，在灌木丛中夺路前进，这真是不可思议，他走过的地方身后的簇叶都变成了黄色，仿佛秋天来到了这里。一到河边，他就头向下跳了进去，连鞋子都来不及脱。

“噗！噗！噗！”美戴斯国王的头露出水面时喷着鼻息。“唔！这真是振奋精神的沐浴，我想它一定把点金术洗掉了。现在来装满水罐吧！”

当他把水罐没入水中，使他从心坎里感到喜悦的是，眼见着它的金子变为他点摸之前原来的普通陶器。他也意识到自己身上起了一种变化。他胸中消除了一种又痛又硬又重的负担，毫无疑问，他的心曾经逐渐消失了人心的气质，转变为麻木不仁的金属，而现在又软化还原，成为血肉的了。美戴斯看见河岸上长着一朵紫罗兰，就用手指摸摸它，使他十分高兴的是这朵精致的花保留着它的紫色，而没有枯萎成黄色。因此，点金术的灾难确实已经从他身上解除了。

美戴斯国王急忙奔回宫殿。我想，仆人们看到他们的国王那么小心地拎着一只装满水的陶土水罐回来，都不知道是怎么回事。但那水能用来解除他的愚蠢所造成的一切祸害，对美戴斯来说，它比金子的海洋更加宝贵。他做的第一件事，不讲你们也知道，就是用满把满把的水去洒小金玛丽的金像。水一落到她身上，就看到这可爱的孩子双颊又恢复了红润！看到她打起喷嚏来，喷得涎沫四溅！她发现身上都被溅湿，而父亲一个劲儿地往她身上泼水，使她大为吃惊。看到这一切你们一定会大笑起来。

“请别泼水了，亲爱的父亲！”她叫道，“瞧你把我这件漂亮的外衣弄湿了，我今天早上刚穿上呢！”

因为金玛丽不知道她变成过一尊小金像，自从她伸出双臂跑去安慰可怜的美戴斯国王那个时刻起，发生的事情她全不记得了。

她父亲认为，没有必要告诉他亲爱的孩子，他以前是多么的愚蠢，而是满足于表现他现在有多么聪明。为了这个目的，他领着小金玛丽走进花园，用余下的水去洒所有的玫瑰花，非常灵验地使得大约五千朵玫瑰花恢复了美丽的本色。可是，有两种情况在美戴斯国王的一生中常常使他想起点金术。其一是，河流里的沙子像金子似地闪耀着；其二是，小金玛丽的头发还带有金黄色，这是在他吻了她使她变为金像之前他从来没有看到过的。这一颜色的变化实在是件好事，它使得金玛丽的头发比她在孩提时更加鲜艳了。

当美戴斯国王成为老人的时候，他常常把金玛丽的子女放在膝盖上轻轻摇晃着，他很喜欢把这个奇妙的故事讲给他们听，就像我现在把它讲给你们听一样。然后他会抚摸着他们的光润的卷发，告诉他们，他们的头发也有鲜艳的金黄色，这是从他们母亲那里遗传下来的。

"老实告诉你们，我的小宝贝们，"美戴斯国王说，一面更起劲地晃着膝上的孩子们，"自从那天早晨以来，我看见金子就非常讨厌，除了这个[1]！"

(陈冠商译)

导读

霍桑(1804—1864)，世界文学名著《红字》(1850)的作者，美国著名作家。在美国儿童文学史上，霍桑的地位可以与被誉为美国儿童诗第一人的伟大作家朗费罗(1807—1882)相提并论。1851 年，霍桑为孩子们写了一部《奇异之书》，稍后又写了一部《丹谷故事》(又名《丛林故事》)。这两部根据神话编创的儿童文学名作合称《神奇的故事》，它不仅为美国儿童文学确立了故事的文体，而且被认为是美国

① 指孩子们头上金黄色的卷发。

儿童文学的奠基性作品，一直流传不衰，产生了广泛的世界性影响，霍桑也因此成为19世纪世界儿童文学史上的重要作家。

《点金术》是《奇异之书》中最具有儿童性的故事。它写一个人性尚未泯灭的国王美戴斯，由于对金子的无穷占有欲，结果把自己心爱的女儿和女儿心爱的玫瑰园也都变成了金子。可怕的现实使国王悔悟了。作者借美戴斯国王学会了点金术却差点失去女儿的喜剧情节，作出了“爱比金子更有价值”的判断。这一价值取向对今天的青少年培养正确的金钱观与人生观，无疑有着积极的指导意义。

【澳大利亚】斯蒂文斯

好讲话的鳖

有只海鳖，生活在印度洋上某个环状珊瑚岛边的碧波里。才过一百岁生日，他的举止就使妻子和朋友们大为震惊。尽管刚刚进入中年，却变得异常饶舌，而且生出种种宏伟的幻想。他的妻子和朋友心中忧虑，跑去求教年长的鹳鸟，想法对他进行帮助。这只鹳鸟，在珊瑚岛上的生物当中，是以智慧过人闻名的。鹳鸟一面听他们叙说情况，一面发出预示不祥的“啧啧”声，等到海鳖的妻子讲完最后几句话，他不禁忧伤地摇了摇头。

“我那可怜的丈夫感到苦恼的是，这个珊瑚岛的天地太狭小了，不能使他有所作为。他是那么怀抱着雄心壮志！我的丈夫开始谈论到我们中的优秀成员之一，在竞争时运用机智，曾经击败过兔子，建立了功勋，他要竭力仿效，一比高低。”

“他们是竞走？”鹳鸟迷惑不解地问，“追过了兔子？”

“是伊索讲的，”海鳖的妻子说，“兔子和乌龟。”

“哦。不过，这不是一码事呀！”鹳鸟高声说道，“鳖不等于龟。”

“我就是这样开导他的，”海鳖的老婆说。

鹳鸟“啧啧”地咂几下舌尖，对她和同来的生物说：“这是狂想病，非常严重。我们可怜的朋友对现实原理一点都不懂。我们必须想办法使他恢复理性……叫他住嘴。只要能弄得他半天不开口，谁能说沉默不会变成一种习惯呢？也许一个疗法要跟着另一个疗法。我得考虑考虑。”

鹳鸟说罢，把头插进翅膀，又蜷起一条腿，表示会见已经结束，希望不要再打扰他了。母鳖引退，在海滨沙石上恬静地爬行着。

鹳鸟刚把头安顿得挺舒服，闭上凸出的眼睛养神，那个好讲话的海鳖就“哇里哇啦”地走过来了。

“嗨，你呀，用一条腿站着有什么好处？”饶舌的海鳖嚷嚷着说，“我看哪，你用两条腿站，可不是省点力气。你那个嘴巴塞在羽毛里，岂不感到非常闷气。”

年长的鹳鸟慢悠悠地把头抽出，蜷起的腿也踩向地面。

“啊，是你呀！”他说。

“你当是谁？”海鳖厉声说道。

“是呀，谁呀？”老鹳鸟反问自己，“顺便提起，你老婆适才找我商量来着。”

“嗯，她是要求找你一下！”海鳖说，“我已经注意她几天了。她有严重的毛病。一声不吭，把头缩在壳里。她显然病得厉害。神经系统的……”

海鳖详详细细地讲了约莫十五分钟，说他发现自己的老婆如何执拗。他一口气讲下去的，几乎没停顿。鹳鸟无法插嘴，只得点点头，站在那儿换一换脚，有几次对自己嘀咕着说：“总得想个办法。”最后，海鳖把老婆的情况说完了。他正要对某些海鸥喜欢叫个不停的事发一通牢骚，鹳鸟赶忙插嘴，说道：“我感兴趣的事，是想了解一下，你根据什么一定要说鳖就是龟？”

“鳖就是龟吗？啊，我老婆告诉你的，是不是？她就是干那种事——从不跟我讲一声！当然，鳖就是龟。龟正是下等的鳖。这是显而易见的。”

“既然你指出这一点，我推想是如此。”鹳鸟使用起外交辞令来了。

“我是个上等龟，因此，我应该叫兔子变成个真正的笨蛋。”海鳖说。

鹳鸟慢吞吞地点一下头，说："不过，你很难跟兔子赛跑，因为在这珊瑚岛上连一只兔子都没有呀。"

"难就难在这里，"海鳖说，"我有过这个打算，游到非洲去，游到印度去，或者游到欧洲去——不管游到哪儿，只要碰上个兔子，好向他挑战。算我运气不好，待在海上的这么一个弹丸之地，本来可以出名，却屈曲不伸。"

海鳖借题发挥，还没讲几分钟，便看到鹳鸟已经把一条腿蜷起，头也伸进翅膀了。他提高嗓音朝鹳鸟嚷了几次，毫无作用，只好走开。

第二天，饶舌的海鳖的妻子向鹳鸟走来，鹳鸟两脚着地正站在那里等候。他对海鳖的妻子说："你提到伊索，倒使我想起佛讲过的一个故事。这个故事提供了有用的疗法——"

"这疗法能医好他，也许会送掉他的命。"

鹳鸟神秘地说罢，便展翅飞去。他在半空里邀了塘鹅，"扑扑"地一齐飞过珊瑚岛，落在好讲话的海鳖前面。

"你的大好时机来临啦，"鹳鸟对海鳖说，"塘鹅答应帮我带你去找兔子。"

"好极了！"海鳖嚷道，"可是，你们怎么可能带我去呢？""这挺简单，只要你能沉默一会，不跟任何人讲话。你能够咬紧牙关吗？"

"当然能够！"海鳖脱口而出。鹳鸟捡起一根棒，叫海鳖紧紧咬着。鹳鸟和塘鹅衔着棒的两头，腾空而起。

过了几小时，他们到了陆地的上空，正飞过一座村庄，下面的几个孩子见到这种怪事，齐声嚷道："瞧那两只鸟带着乌龟哩！"

海鳖一听火了。他张开嘴巴，大声说道：

"我是鳖，不是龟。我的朋友要带我，不管你们的事！"

他咬不住棒儿了，这就掉下来啦。

“我恐怕这种疗法要送掉他的命，”鹳鸟对塘鹅说，“我们可怜的朋友可能掉进石板铺的天井啦。”

鹳鸟和塘鹅在空中盘旋一周，便向珊瑚岛飞去。

但是，海鳖并没有掉进天井。就在那最后一刻，旋风忽起，把他卷进了一个大池塘。他惊魂初定，听到一条大梭子鱼在跟他说话：

“欢迎你到皇家羹池里来！”

“别用你那长鼻子叽叽咕咕说话！”海鳖吆喝道，“什么池子？”

“羹池，”梭子鱼说，“国王的厨师长专门设的池子，为陛下养着各种鱼类。国王特别爱吃鱼羹。不过，别惊慌失措。厨师长带着网来的时候，你只要躲躲开就行了，我用这条巧计，在这儿活了五十年，日子过得蛮舒服，一天喂三次哩。”

海鳖没有搭腔，心想：“我已经得到严重的教训，今后一定缄口不言。”

第二天早晨，厨师长背着网走向池边。这时海鳖躲在塘边沿。“美味的黄鳝羹显然是挺合适的！”厨师长说，“国王要我烧出世界上最可口的羹来，大家都知道黄鳝羹是上品。”

海鳖从塘边冲了出来。

“胡扯！”他气呼呼地说，“谁都知道老鳖羹是上品……”

（马祖毅译）

导读

斯蒂文斯(1911—?)是澳大利亚当代最负盛名的作家兼画家，其长篇小说《空中的马》于1970年获“迈尔斯·弗兰克林奖”。他是澳大利亚作家协会的创建人，并任该协会第一届主席。他对中国文化怀有浓厚兴趣，曾根据吴承恩的《西游记》中的有关情节创作过一部长篇小说《三人成虎》。

《好讲话的鳖》是他的童话代表作，作者自己说该题材是采自佛经经典。《百喻经》中有一则民间传说：某年天旱塘枯，天鹅迁居时，鳖要求同行，两天鹅应允，就共抬一棒，让鳖咬住棒中央。但飞上天后，鳖开口说话，结果坠地而死。类似故事在我国民间也曾有流传，宋代米芾《拟古》诗中就有“极苎慎勿语，一语堕泥涂”句。印度的《五卷书》中也有类似故事。但在《好讲话的鳖》中，作者进行了重新创作，赋予了更深的思想内涵。这只“异常饶舌，而且生出种种宏伟的幻想”的鳖是虚荣心的牺牲品。他平时逢人就喋喋不休地夸耀自己，还把龟兔赛跑中龟的荣誉恬不知耻地贪为己有。在鹳鸟和塘鹅带他飞行时，他要对孩子们把他说成乌龟的话进行反驳，因而掉了下来，幸而跌进池塘里才没有一命呜呼。然而，他并不以此为戒，在厨师到池塘捉鱼时还要声嘶力竭地吹嘘自己，结果是不言而喻的。让人感到余味无穷的是，这只爱唠叨、喜吹嘘和标榜自己的鳖至死也不会弄清是什么要了他的命。

【保加利亚】卡拉利切夫

母亲的眼泪

一场细雨，淅淅沥沥。院子里，黄树叶儿熠熠发光。藤上的大葡萄膨胀了，肉鼓鼓地简直像要绽裂的样子。紫色的花朵把紫菀压得低低的。紫菀花下，一只破坛子在落叶中滚动。栖息在坛底的一只雏燕，又是寒冷又是伤心，缩作一团，瑟瑟发抖。她孤苦伶仃，两个姐妹已经南飞，妈妈，亲爱的妈妈，也已经远走高飞，向着温暖的地方。又湿又冷的夜晚，谁能给她温暖呢？

她在坛底孑然一身。她们离开了她，因为她身残，飞不动。那年夏天，她们栖息在屋檐下，房子突然失火。母亲赶回来抢救，但为时已晚。一颗红红的火星飞进巢穴，烧伤了她的翅膀。那时她刚呱呱坠地来到世上，全身赤条条一丝不挂，顿时感到阵阵剧痛，晕了过去。一觉醒来，已在一个新的巢穴，母亲低垂着头坐在边上，心情十分悲痛。她想抖动一下翅膀，但徒劳无功，因为左面的翅膀已经烧伤而萎缩了。

夏天过去了。葡萄的颜色变深了。院子里，紫菀上的蓓蕾绽开。电线上站满了燕子，看起来像一串串黑色的念珠。他们准备远走高飞。

一天，母亲把残废了的雏燕带到院子里，说："亲爱的孩子，我们今天要南飞了。你飞不了，只得留下。那儿的坛子里，我用羽毛做了一个柔软的床铺。那就是你的窝。饿时你可以出去吃点东西。院子里水果比比皆是。待到春天来临，我们再回来找你。"

"谢谢，妈妈，谢谢你的安排！"小燕子凄然地说。为了掩饰眼泪，她把头扎进了母亲的翼下，沉默了片刻……

她们飞走了！

忧郁苦闷的日子一天一天挨了过去。湿透的紫菀，顶梢更加下垂了。一滴雨水，从最低的那一片花瓣上滚了下来，正要滚下来时，雏燕听到雨水叹了一声："唉，累死我了！"

"您从哪儿来？"雏燕好奇心旺盛。

"噢，亲爱的，亲爱的，我远道而来。我从大洋来。我生在那儿。我不是一滴雨水，而是一滴眼泪。"

"一滴眼泪？谁的眼泪？"雏燕急切地问。

"一位母亲的眼泪。我生命的故事十分简短。九天以前，一只巨大的远洋轮船的桅杆上，栖息着一只燕子，她疲惫不堪，眼泪汪汪。我就诞生在悲伤忧愁的燕子的右眼里。狂风大作，大洋怒吼。燕子用微弱的声音对风说：'风兄弟！你周游世界，去保加利亚时，请停留一下，看望我那孤零零的孩子，告诉她，黑雄猫就在院子里徘徊，躲远一点。我走时忘了告诉她这件事。告诉她我悲痛欲绝……''你孩子在哪里？'风问。'我把她留在院子里一只破旧的坛子里，那儿种有紫色的紫菀花。'燕子话未说完，我就从她的眼里滚了出来。风逮住了我，带着我环游世界。我已旅行了九天。片刻之前我落到了这朵花上。真是累死了！我现在什么都不想，就想滚下去睡一觉。"

雏燕听痴了。她迅速站了起来，张开嘴，吞下了母亲的那滴昏厥过去的泪水。"谢谢，亲爱的妈妈，"她低声说道，躺到羽毛床上，睡着了。眼泪给了她温暖，她似乎又蜷缩在母亲的翅膀下。

（金坚范译）

导读

卡拉利切夫(1902—1972)是保加利亚20世纪中期最重要的儿童文学作家。他为孩子记录、整理了两卷《保加利亚民间童话集》(1958—1960),又出版了童话集《童话世界》(1929)、《走运的人》(1929)、《巨人和蟒》(1946)、《无尾狮》(1958)。他的童话多在民间童话故事基础上写成,很受儿童欢迎。其代表作为《童话世界》,包括《母亲的眼泪》《秋天的童话》《蜂鸟和大象》等。卡拉利切夫的童话主题都是对美、对人道主义和社会公德的呼唤,在充满诗意的描述中交织着作家对孩子的希冀。

《母亲的眼泪》是抒写母爱的作品中的精品。母爱是人类最原始、最温暖,也最神圣的情感,但这篇故事中的母爱读来尤令人刻骨铭心,萦绕于怀。生命的故事从来就是短暂的,唯有这深深的母爱地久天长。

【西班牙】阿尔火

蜜蜂的故事

很久很久以前，西班牙的国境内来了两个不同的民族，他们都是开化最早的民族，却代表了两种不同的性格。

有一个民族是从大西洋那边来的，住在西班牙的北岸。他们代表着体力健康、物质文明的民族。

这个民族一到西班牙之后，在那位贤明的领袖指导之下，从太阳出来到太阳下去都勤恳地工作着，田野很快地给开垦完了。宽广的大路出来了，最实用的房屋也建起来了。他们并没有浪费一点时间和一点地方。他们所有的房子的规格都是一样的，都是用最少的材料盖起最多的、最有用的房子。里面没有奢侈的修饰和多余的东西。什么东西都很科学、很合理、很实用。

这些有道德的勤勤恳恳的人民是最有互助精神的，他们很少为自己打算，只想到为大众谋利益，随时随地愿意牺牲小我，完成大我。

可是，这个民族虽然是这么有公德心，国家虽然那么发达，但是他们的人民的心里，却隐藏着不快乐的因素。他们好像缺乏了什么似的。他们一天到晚不停地做，做完了便睡，睡好了等明天又有精神再去做。有时晚上他们也睡不好，他们睁大着眼睛想想究竟他们生存的目的是什么。他们不晓得享受生活，他们找不到安慰，也没有娱乐。他们除了工作就没有别的了。他们的人生目的是什么呢？假如自己不会享受自己工作的成果，那又有什么意思呢？

他们的领袖开始看见他的人民做工时带着沉重的表情了。他们工作得不起劲，也不愉快。领袖不晓得是为什么。他是非常热爱他的百姓的。他也觉得快乐不起来了。

现在我们说说另外那一个民族吧。他们是从地中海那边来的。他们住在西班牙的南部。他们的人生目的就是尽情享受和追求精神文明。他们爱好鲜花,因为鲜花是大自然中美丽的象征。他们把他们一生贡献给美和艺术。他们享用着自然界所有美丽的东西。他们画着奇妙的画,塑出可爱的石像,写着优美的诗歌。这都是受着那到处是愉快阳光的国度的影响。他们睡在那芳草如茵的草地上,他们躺在那细沙如雪的海滩上,喝着美酒,唱着歌儿,欣赏着残阳如血的红色的地中海,眼望着在西班牙天空高耸起来的群山,这样,他们就感到很满足了。

他们也没有什么责任心,也不愿意工作。他们除了享乐就没有什么人生目的了。他们也不帮助别人,也不骚扰别人。这个国家好像没有政府存在一样。

虽然他们处在这个纯享受的环境里,可是忧愁却悄悄地侵袭他们了。他们感到一种恐慌,即使他们睡在草茵上和海滩上时,都没有工夫欣赏那大自然了。他们只顾去享受大自然的美,他们只晓得消费,却不懂得生产。那些醇酒是会喝完的。那些美丽的鲜花,开过了便会枯萎的,而他们却没有人负起种植的责任。于是,美丽的花朵就越来越少了。那些优美的风景呢,看多了总是会厌倦的,总是会不满足的。更重要的是,他们是需要生存的,而这些好看的东西却不能代替食物和饮料。

于是,他们便忧郁起来了。他们的领袖,曾经教他们为了美而鄙弃一切实用的东西,也感到苦闷起来了。因为他是热爱他的人民的,他不愿意他的人民饿肚子啊。

这两个民族的领袖都不晓得怎样才好,很想找一个先知来请教。可是西班牙有一句俗谚:“先知不住在自己的国家里。”所以他们一直找了很久很久。最后,才有一位先知从外面到来。

这两位领袖把他们所担心的事情告诉他，问他怎样才能使他们的人民得到满足。那先知便叫他们明天再来。

到了次日，那先知便跑到西班牙中间的一个高山上面。从山上望下来，望见那美丽的南方和那整齐的北方。他望见两个民族人民的愁苦面容和他们如何迫切地盼望他去解答。他便用一种有力的声音说：

“你们两个民族当中，没有一个是完全做对的，也没有一个是完全做错的。其实你们应该彼此调和起来，你们有着要互相学习的地方，你们也有着互相教导的地方。人不能一生只爱做工，也不能一生只爱享受的。人应该工作，从工作里求到快乐。人应该快乐才能使工作做得更好。我们应该使工作变成游戏，也使游戏变成有意义的事情。

“物质的东西和精神的东西是同样重要的。好的东西应该是美丽和有用的东西。

“我想把你们变做另一种动物，使你们一生都为美而工作，在工作中得到愉快。你们愿意么？可是，你们得好好地想清楚，一变了就不能再变回来了。”

起初，人们沉默了好一会。后来，一半的人把手举起来了。到最后，那先知望下去，山下的手都举起来，像春天里新发的草芽一样。

于是那先知便使出他那广大的神通，奇迹立刻发生了。这两个民族的人都变做“嗡嗡”叫的蜜蜂了。

先知对他们说：

“从今天起，你们便得到快乐了。

“从今天起，你们的游戏和工作便打成一片了。

“从今天起，你们就在美丽的东西里寻找到有用的东西了。

“从今天起，你们就在最美丽的花丛里工作。

“从今天起，你们工作的果实就是世界上最甜蜜的东西了。”

（黄庆云译）

导读

阿尔火是西班牙当代童话作家，他的童话有一种哲理的明快性和意境的诗美性，别具一格。《蜜蜂的故事》即是其代表作之一。这个童话立意高远，寓意深刻。作者假定有这样两个民族，一个民族只一味地追求物质文明，创造了巨大的物质财富，却不知道享受生活，日子过得很不愉快；另一个民族正好相反，他们追求精神文明和尽情享受，却不懂得生产，日子也过得很不顺心。作者借先知之口告诉人们："人不能一生只爱做工，也不能一生只爱享受的。人应该工作，从工作里求到快乐。人应该快乐才能使工作做得更好。我们应该使工作变成游戏，也使游戏变成有意义的事情。"因为"物质的东西和精神的东西是同样重要的。好的东西应该是美丽和有用的东西"。作者的理想社会境界是像蜜蜂那样，"在美丽的花丛里工作"，"工作的果实就是世界上最甜蜜的东西"。这篇童话显然寄托着作家的一种社会理想，对少年儿童树立正确的人生观与世界观很有启发。

【意大利】路易吉·马莱巴

斑马的条纹

从前有一匹斑马，他对自己身上黑色的条纹感到害羞，他情愿自己是一匹马。斑马被关在动物园的一只笼子里，有阳光的时候，笼子铁条的一道道影子重叠地落在斑马的条纹上。有时候斑马身上出现双层的条纹，但太阳升高时，如果斑马横着站在那儿，笼子铁条的影子与斑马身上的条纹就构成了许多小方块格子。如果说，身上的条纹本来就使斑马感到很难为情的话，那么，现在带着那么多的小格子，他更是怒不可遏了。于是，他开始做各种怪相吓唬到动物园来猎奇的人们。有一天，他看见一匹全身毛皮光泽金黄色的马儿走过，斑马哭了起来，他哭了整整一天一夜。

斑马感到十分伤心，他变得脾气暴躁而又孤独，他与邻近的一些动物攀谈起来。他发现长颈鹿也为自己的脖子太长而不情愿是一只长颈鹿；河马也对自己那张大方嘴巴而感到沮丧；灰鹤不想有那么细长的腿，为此，他一有可能就把一条腿藏在翅膀底下；海豹不愿意自己有胡须；老鹰嫉妒黄莺的歌喉；豹子整天舔着自己身上的斑点，想把它们抹去；蛇心事重重，因为他没有腿；大象为自己的尾巴长在鼻子上而无地自容。总之，动物园里没有动物是对自己满意的。

斑马把脑袋缩在腿足之间，专心致志地思考他身上的黑色条纹问题。经过深思熟虑之后，他认为自己并不是一匹带黑色条纹的白斑马，而是一匹带白色条纹的黑斑马。“那么，一只带条纹的动物比一只黑色的动物要强多了。”他自言自语道。从那以后，斑马的心情平静多了，他为自己带着白色条纹感到从容自在。

（沈萼梅译）

导读

路易吉·马莱巴(1927—2008)出生在意大利北方的帕尔玛，这里也是世界闻名的音乐大师朱塞佩·威尔第的故乡。马莱巴被誉为继童话大师贾尼·罗大里(1920—1980)之后在意大利产生了广泛影响的当代著名儿童文学作家。他的儿童文学作品，以新颖的题材，丰富的内涵，幽默的风格，以及强烈的现代气息，深得世界许多国家的小朋友喜爱，读来令人耳目一新。

马莱巴的代表作是寓言故事集《忧心忡忡的小鸡》(1980)和两部风格幽默而富有生活情趣的《小故事》(1977、1984)。《斑马的条纹》选自第二部《小故事》(1984)，写一匹对自己身上的黑色条纹十分不满的斑马，在经过一番“深思熟虑”之后又转向从容自在的心理变化，透视了一种当代社会现象。现实生活中不是时常见到类似斑马这样心理不平衡又自我安慰的精神胜利者吗？斑马还是那匹黑白条纹相间的斑马，可前后的心境却完全不同，在这一转变与对比中，蕴含着深刻的人生哲理。

【匈牙利】刁辽克

人类保护协会

有一次，野兽们决意要成立“人类保护协会”。因为几乎各国都有了动物保护协会，而他们至今仍无动于衷，甚感过意不去。

“好心该得好报嘛，”狼煞有介事地说，“我们也应当有所表示。”

老虎欣然赞同：

“你说得对。趁热打铁，说干就干，让大家瞧瞧，我们同人一样，也有心肝哩。”

于是派代表去晋见狮子，向它陈述事情的原委，说什么大伙儿满腔热忱要成立一个协会，现在只待他一开金口了。

狮子表示同意，摇头晃脑地说道：

“诸位意见很好，我亲爱的同胞们，应当行动起来嘛！”

为此特地召开了盛大集会。全体野生动物和驯良的家禽家畜都参加了大会，其中有美洲豹、非洲鬣狗、岩羚羊、大象、狐狸、狼、鹿、狗、兔子……会场设在海边一个悬崖脚下，鱼群待在浅底，鸟儿像占楼座似的蹲在树梢上。总之，大伙儿都到了，连害病的都赶来啦。那还了得，事情太重大啦，人类是应当保护的！直到最后一分钟，一头倒霉的猫咪才上气不接下气地奔了过来。不知哪家小孩在他的尾巴上系了个空鞋油罐子，这可把他气疯了。他是一头年高德劭的猫，可羞耻心和肉体的痛苦使他丧失了理智：那洋铁罐头拖在尾巴上一路发出“丁丁当当”的响声，他便认定自己是个钳工了。可笑吗？不过在这种场合不兴发笑，其中的苦衷一言难尽。

就是说，飞禽走兽都到齐开会了。大伙儿一致推举狮子担任主席。其实推举也只是官样文章，因为他们开起会来总是狮子当主席。

狮子昂首阔步登上悬崖，威风凛凛地向四周一打量，然后戴上眼镜，掏出长颈鹿秘书给他准备好的演讲稿：

“亲爱的公民们！我忠实的臣民们！”他老人家刚一开口，只听下面一片喧嚷：“我们在听，我们洗耳恭听呢！……”那头疯癫的猫咪把罐子玩得震天响；他旁边的狗火了，使劲把他往边上一搡。狮子继续讲话：“我们今天到这里来，是为了成立人类保护协会。大家都知道，为了保护动物，也就是为了保护我们，人类已建立了无数专门组织。我呢，我顺理成章地认为：既然人类有动物保护协会，我们也应当有人类保护协会。我很高兴，你们都同意我的意见！”

狼和老虎面面相觑，一声不吭。

“我忠实的臣民们！”狮子接着说，激动得声音都颤抖了，“人类为动物做了多少好事啊。就拿鸽子来说吧，人们在教堂门口请鸽子享用可口的小面包；还喜欢让鸽子站在他们的肩膀上拍照。大家想想，对于像鸽子这样无足轻重的鸟儿，这是多大的荣耀。冬天，当大雪覆盖森林、鸟类无法觅食的时候，人们就在森林里到处为鸟类挂起饲料篮。我想，下面这件事大家总该知道的：前不久，一个阴惨惨的冬天，几群燕子从迁徙的大军中掉队了，心地慈悲的人们竟用飞机把这些冻得半死的鸟儿，运载到非洲最暖和的一个省份去……”

听众中发出一片唏嘘声。一头灰白的老燕子“嘤嘤”啜泣了。狮子擦了擦眼镜继续演讲：

“诸位也都知道，许多人并不太富有，却愿意慷慨地把钱花在狗和猫的身上。哦，人类的心肠是何等慈善呀！再想想我们自己：我们将留下什么名声？不，我的兄弟姐妹们，我们也要跟时代的步伐保持一致才是，我们要在自己的旗帜上写上‘爱人类’的神圣口号。我相信这样的旗帜将成为古代那位牧羊人的纪念碑。据文献记载，那位牧羊人曾拔去我的先祖脚爪上的木刺，使他免受流血之苦。我的朋友们！四条腿的，长羽毛的，水里游的——我所有的朋友们！我们面临着宏伟的任务：为了保护人类，前进！”

“前进！保护人类！”四足动物呀，鱼类呀，各种飞禽呀，都兴奋地喧腾起来了。

“下面我们讨论行动计划，”狮子一边说，一边对着面前的一份文件连连眨巴着眼睛，“谁有什么建议？我们必须研究一下，怎样保护人类！”

会场上一片沉寂。

“提呀！”大象、美洲豹和鹿互相敦促道，“随便什么总得说几句呀！”

“说啥呢？”一头小鹿唧唧哝哝地说，“我从来没欺负过一个人。”

“小鹿想发言，是吧？”狮子用雷鸣般的声音问，“说吧！”这头羞怯的牝鹿窘得都不知道自己是妞儿还是小子了。

“尊敬的先生们！”她喃喃地开言道，“我不知道说啥才好……我从来没欺负过人。说实在的，我怕人，哪怕闻到远处有人的气息，我也会拔腿溜掉。说真的，我长这么大只见过一次人，那是在我忠厚老实的、亲爱的哥哥被杀害的时候。”

“一点不假，”她的亲戚鹿和岩羚羊在一旁作证道，“她从来没欺负人，我们也不欺负人。”

“不欺负人，不欺负人，”大象粗声粗气地说，“鹿儿，你是个傻妞儿呀。我比你厉害多了，也从来没得罪过人。有谁听说大象进城伤害人吗？可人却携带各种精巧的家伙来捕捉我们。我们在万不得已的情况下，才进行自卫，但只要有可能，我们还是会逃之夭夭。”

“可我有啥说的？”兔子叽哩咕噜道，一边说一边对大象拳打脚踢，“对付你可真不容易哩！”

“你们至少还能溜之大吉，”一头母牛哞哞叫开了，“可我有啥法想？他们把我关在栏圈里，喝我的奶，而后……而后不说你们也明白了。”

“我呢？”猪哼道。

“我呢？”马嘶了。

“我们呢？我们呢？”母鸡呀，鹅呀，鸭呀，都哭鼻子啦。

“我，我呢？”狗汪汪叫道，“人们心血来潮就给我一顿揍，可我连吭都不敢吭一声。”

“我呢？”金丝鸟苦着脸向大家，“把我关在笼子里，还硬要我唱歌！”

松鼠和鹦鹉一边哭一边说：

“我们，我们，可我们呢？……”

“再看看我吧，”气疯了的猫咪痛哭流涕道。那洋铁罐在他尾巴上又发出一阵“丁当”声。“我是个孤苦伶仃的帮工，我到哪儿去安身呢？”

“都给我安静些！”狮子大吼一声，摇了摇铃铛，“我们不是来开诉苦会的，而是为了研究解决：怎样保护人类！”

“谁侵害人类了？”野兽们又喧嚣起来了，“我们又没有触动他们一根毫毛，是他们向我们进攻的。”

“人用我们的毛皮做大氅！”狐狸、狼、熊、貂、银鼠和其他毛皮蓬松的走兽都怒气冲冲地嚷开了。

“还用我们的皮子做手提包呢！”鳄鱼代表说完直叹气。

“常言道，乌鸦不啄乌鸦的眼睛。”一头乌鸦叽叽喳喳地说，“只有人才叫人吃苦头，人是唯一消灭同类的生灵。象不杀象，斑马不杀斑马，可人却自相残杀，甚至还自杀哩！”

“说得对呀，”袋鼠叫道，“人是好事会做，坏事也能干的。”

“这方面就别扯啦！”盛怒的狮子喝阻道，“要知道，我平素也不轻易伤害人。今天谈的不是这方面问题嘛。协会算成立啦！想法是好的喽，现在请大家讨论一下：怎样保护人类？使用什么手段保护他们？使他们免于谁的伤害？”

“免于你的伤害！”昏头昏脑的猫咪叫道，“你们也自相残杀哩。”

“嘘……”一些马屁精连忙劝阻他了，“主席先生听了要生气的！”

“生他的气好了。我不怕，我说的是实话！”

狮子想把这个疯子赶出会场，但疯猫一溜烟蹿上了树，在树上又示威地发出一阵“呜噜”声。胡狼嚎叫了，大象咆哮了，会场一片混乱。狮子抓起铃铛直摇。最后大伙儿认为，野兽实在无法使人免于人的伤害，也无权干涉人的事务。那么，剩下还有什么可做的呢？啥也没有，他们空忙了一场。

“我沉痛地通告诸位，”狮子昂起脑袋说道，“我只好宣布解散‘人类保护协会’，因为我们在这个问题上实在没有办法。人类应当自己动手保护自身安全。”

“呜啦！……”飞禽走兽发出一片震耳欲聋的呐喊。他们已经习惯这样做了：狮子有话出口，他们就应当高呼“呜啦”。这当儿，只见老虎呀，大象呀，鹿呀，母牛呀，美洲豹呀……都向四面八方跑开了；四条腿的，长羽毛的，水里游的，又在整个世界活动开了。那头疯癫的猫咪越跑越远，只有身后拖的洋铁罐子还传来隐约的“丁当”声。

（今言译）

导读

刁辽克是匈牙利当代著名儿童文学作家。他的童话贴近现实生活，富有教育意义。童话代表作《人类保护协会》以别出心裁的构思，通过动物成立“人类保护协会”这一奇妙情节，批评一些不正常的社会现象。原本是商讨如何保护人类的动物大会,却意外地成了动物声讨人类对他们不仁不义的控诉会,有些话确实令人警省,比如,“只有人才叫人吃苦头,人是唯一消灭同类的生灵。象不杀象,斑马不杀斑马,可人却自相残杀”,“人类应当自己动手保护自身安全”。读了这篇童话,作为万物之灵的人又该有怎样的感想呢?难道不应该好好检讨一下自己的行为吗?

【智利】米斯特拉尔

玫瑰花为什么带刺

和其他许多花草一样，由于数量繁多，到处可见，起初玫瑰花也是属于平凡粗俗之列的。

谁也不会相信，今日华丽高贵得如同公主一般的玫瑰花，昔日是用以点缀大道小径的。然而，这却是千真万确的事。

上帝曾经扮作香客下凡，冒着酷暑在人间整整巡视了一天。他回到天堂的时候说：

“可怜的人间道路太糟糕了！太阳把道路晒得直发烫，我看到路上的行人热得晕头转向，牲畜也无精打采，耷拉着脑袋。它们可怜巴巴地发着牢骚，而人类则在大声诅咒。这些道路两旁还尽是些破烂不堪的土围墙，越发显得难看了！”

“但是，这些道路是神圣的，因为它们把相距遥远的村镇连接起来，让人在它们上面行走。做生意的人为了生活满怀希望，步伐坚定；游山玩水的人则心旷神怡，优哉游哉。”

“我们要是在路边造些凉爽的帐篷和赏心悦目的东西该多好，它们既能遮阴，又能消愁解闷。”

于是，上帝便造出了轻舒粉臂向人祝福的垂柳，高耸入云撒下大片绿荫的杨树，还给那攀缠土围墙披上华丽服饰的玫瑰。

那时候的玫瑰可真多，漫山遍野，到处都是。后来，又经过不断的种植繁衍，玫瑰多得简直无处不在了。

商人和游客看到杨树像圣女一般列队致意，坐在垂柳的绿荫下掸着鞋上的尘土，都开心地笑了。

他们看到土墙上披满绿色的挂毯，点缀着一簇簇红的、白的和黄的花团，更是心潮起伏，激动不已。牲畜们也快活得引吭嘶鸣。对这从天而降的奇迹，路上飘起神秘的歌声，打破了乡村的宁静。

但是，这一次还是和往常一样，人类又不珍惜上帝给他们创造的东西了。

杨树因为身材高大而得以自卫，垂柳由于枝条柔弱而幸免于难。而玫瑰却是那样千娇百媚、芬芳沁人，像山上的姑娘那样手无寸铁，软弱可欺。

不到一个月，路旁的玫瑰便被摧残得缺枝少叶，蕊落花谢。

玫瑰花像女人一般，对自己的痛苦遭遇喋喋不休地哭诉。她们到上帝面前去诉苦。她们情绪激愤，声音颤抖，脸儿红得赛过美人儿：

“上帝，人太没有良心，不值得你可怜。当初你缔造我们的时候，一个个完美无缺、美丽绝伦。如今才过去短短一月，我们便被他们糟蹋得残缺不全，惨不忍睹。

“我们尽了最大的努力想讨人们高兴：我们把花冠全部打开，好放出芳香；我们为了保持鲜嫩，挤尽了花茎里的汁液。我们是用自己的生命换取美貌供人观赏。

“过来一个牧人。我们都弯下腰去看跟在他后面雪白的羊群。这个无赖说：‘这些玫瑰红得简直像胭脂，而且像故事里的女王那样弯腰向人致意。’说着就一把揪下我们的一对孪生姐妹。

“他的后面又来了一位农夫，惊奇地睁大眼睛叫起来：‘真是奇迹！围墙都穿上了花花绿绿的衣裳，分明是一个老娇娘！我摘一朵捎给阿纽佳大嫂和她的千金。’然后，农夫也是一把，扯下六朵花，还连着一根整枝。

“又过来一位老游客。他吃惊地左顾右盼，眼里都放出光来，喊道：‘伟大的万能的上帝啊，造出了这样的尤物！’说完他就带走我们最漂亮的一位姐妹。

“接着又来了一个淘气包。‘多好看多舒服啊，路上都长出花来！’他一下就采了一大把，唱着歌儿往小路去了。

“上帝啊，这种日子还怎么叫我们过下去呵。用不了几天，土墙又要和从前一样光秃秃的，我们都要香消玉殒了。”

“那你们要怎么样呢？”上帝问。

“我们要保护！人用篱笆尖刺把菜园围起来加以保护，你也可以用类似的东西安到我们身上。”

仁慈的上帝苦笑了一下，他的本意是想把美丽的东西造得友善一些。他说：

“没办法！看来我不得不这样做了。人啊，逼着我往我的作品上加进敌意，变得会伤人。”

玫瑰的表皮先是鼓起了一个又一个包，这些包渐渐又尖尖地突起来，最后便成了刺。

永远不公道的人类后来却说，上帝把他创造的东西都变得不友善了。

（江山译）

导读

米斯特拉尔（1898—1957），原名卢西拉·戈多伊·阿尔卡亚加，生于智利首都圣地亚哥市以北的艾尔基河谷。“因为她那富有强烈感情的诗歌，使她的名字成为整个拉丁美洲理想的象征”（获诺贝尔文学奖评语），被誉为“抒情女王”，1945年因诗集《绝望》（1922）而获诺贝尔文学奖。米斯特拉尔还将她那天然的爱情完全倾注到她所教育的无数孩子身上，为孩子们创造了许多可以轮唱的诗歌，题名为

《柔情》,于 1924 年在马德里出版。为了向她表示敬意,4000 名墨西哥儿童曾演唱了这部诗集。

《玫瑰花为什么带刺》是女诗人留给孩子们不多的童话作品之一。作者以“完美无缺、美丽绝伦”的玫瑰花不得不长上刺来自卫的虚拟故事,贬斥了人类精神上的一种缺陷,即对大自然的不友善与对美好事物的肆意破坏。别有意味的是,人类让玫瑰花长上刺,却又反过来怪罪玫瑰花不友善。人啊,就是这样,把一切罪过都推给别人,却不曾想过从自己身上找原因。

【芬兰】托佩柳斯

夏至之夜的故事

芬兰是欧洲最北面的一个国家，冬天漫长，几乎每天下雪。

那里，夏天只有两个月的时间，尽管很短，太阳却老不肯下去，即便到了晚上，天空还是亮亮的。于是，人们将这明亮的夜晚称为“白夜”。

每年，当地老百姓都要在白天最长的夏至那一天，举办夏至节活动。节日的晚上，街上通宵摆满摊子，热闹非凡。也只有在那天晚上，孩子们才被允许上街彻夜玩耍。

某镇上的卡尔和苏芬，是很要好的亲兄妹。今天是夏至节的夜晚，兄妹俩匆匆吃完晚饭，出去了。

“哥哥，你想买什么？”

“先买华夫饼干，再买真正的名牌小刀和笛子……”

“我呀，买糖果、花边缎带，还有……”

无论哪个国家，过节都是孩子们十分神往的。那天，他们能得到比平时多得多的零花钱，能看到许多珍奇的东西。节日活动尚未开始，兄妹俩的心就已经“怦怦”狂跳起来。这时候，他们发现人群中有个衣衫褴褛、身体消瘦、脸色悲哀的女孩子。

“你还没吃饭？”苏芬问道。可是这个女孩依然低着头。卡尔情不自禁地将自己的零花钱塞到她的手里，说道：

“给你的，我们刚吃过晚饭，再说苏芬的零花钱我俩合着花也够了。”

“谢谢你啦。”女孩子终于露出了笑容。

街上到处都点起了篝火。为了感谢太阳的恩惠，这篝火要一直燃烧到天亮。卡尔和苏芬坐在火堆旁，欢度这节日的夜晚。

忽然，他们发现树下站着个男孩，只穿着件破旧的衬衣，冷得直哆嗦。

“到火堆边来吧。虽说是初夏时节，夜里还是挺冷的，所以你要多穿件外衣才是。”卡尔提醒他。

听了卡尔的话，那男孩便眼泪汪汪地说：“我没有外衣呀。”苏芬听了他俩的对话，便脱下自己的外衣递了过去：“你穿上我的外衣，我不冷。”

这时，传来欢快的音乐，卡尔和苏芬走入人群，跳起舞来。节日的夜晚始终充满着欢乐的气氛。

当然，无论多么欢乐的日子，也总有尽头，卡尔和苏苏迎来了第二天的黎明。他们登上高山想观看日出。在山上，他俩又遇见了昨夜遇见的那男孩和女孩。

“卡尔、苏芬，刚才太谢谢你们啦！”他们微笑着挽起了卡尔和苏芬的手。这时，一轮红日从东方冉冉升起。在橙黄色的阳光照耀下，衣衫褴褛的男孩和女孩转瞬间变成了光彩夺目的天使。

“每个人都有能保护自己的天使，我们就是你们俩的天使呀！”

“平时你们虽然看不见我们，我们却始终侍在你们的身旁，这一点你们可要记住呀。”

天使边说边向他俩频频挥手。随后犹如熔入了阳光里似的，在天空中消失了。面对着美丽壮观的旭日，兄妹俩长时间地站在那儿。这次夏至节的美好经历，卡尔和苏芬是永远也不会忘记的。

（曹俊德译）

导读

托佩柳斯(1818—1898)是芬兰杰出的诗人与童话家,曾任赫尔辛基大学校长。其代表性作品有《寓言集》(1847—1852)和童话集《儿童读物》(1865—1896),后者先后出版了 13 卷。这些作品使他在北欧儿童文学史上占有重要的地位。芬兰现在的儿童文学奖就是以托佩柳斯的名字命名的。

托佩柳斯童话中那些与民间童话相近的部分,对孩子有很强的吸引力。他善于用温暖的笔调描绘孩子的生活,给孩子以幻想的养料。他利用民间童话情节进行再创作的童话是他的文学遗产中最珍贵的部分,《夏至之夜的故事》即是这类童话中的名篇。它写兄妹俩在美丽的“白夜”奇遇天使,他们的同情心与爱心经受住了考验,从而使作品洋溢着温暖的人性美。人类幻想中的天使是什么?她就是善与美,她就在每个人的心底,就看你有没有发现。一切善行与美德都可以说就是天使的作为。

【捷克斯洛伐克】毕齐什卡

洪赛克和他的好朋友

眼下正是收割季节。一大早，爸爸和妈妈就下地干活儿去了。太阳已经升得老高老高，可洪赛克还没有在院子里露面。狗满院子跑来跑去。他不时瞅瞅男孩儿的门，可是总不见洪赛克出来。于是，狗对公鸡说：

"糟了，公鸡，洪赛克病了。自从我看守这房子和院落以来，洪赛克只有咳嗽和感冒的日子才不出屋来。"

公鸡最爱传播消息。他要把这个消息赶快告诉院落里的伙伴们，他大叫道：

"喔——喔——喔！洪赛克病了！"

母鸡们心里一难受，就"咯嗒咯嗒"地叫起来。鹅们心里一难受，就"嘎嘎"地叫开了，山羊也心疼地咩咩叫着。所有的家畜都想知道究竟是怎么回事儿。但是谁也不知道洪赛克得的是什么病。

"好吃的麦粒儿对他的病总不会没有好处的，"一只老母鸡说，"洪赛克对我们可好了，他天天给我们的食槽里洒一碗清水，而且从来不像有些淘气的男孩那样把我们赶进池塘里。我要给他送一粒最好吃的麦粒去，让他快快恢复健康。"

"对极了，对极了，"母鸡们"咯嗒咯嗒"地叫着，"咱们应当送最好吃的东西给他，帮助咱们的洪赛克恢复健康！"

说完，母鸡们在院子里四处团团转着，要找到一样最好吃的东西。一只母鸡找到一粒燕麦，另一只母鸡找到一条蚯蚓，第三只母鸡找到一只甲虫，他们都等着有人来给他们把门儿开开。

狗看着母鸡们都要为洪赛克恢复健康出力，自己心里也琢磨开了："说实在话，洪赛克常常跟我闹着玩儿，给我面包吃，从来不像有的男孩那样把我打得'汪汪'叫。我也应当给他送点什么去才好。"

公鸡看着大伙儿都给洪赛克送慰问品，便思来想去琢磨了好久，也拿定了一个主意：我不能像这些糊涂虫一样，给洪赛克送那样的慰问品。我要么不送，要送就送样新鲜玩意儿，谁也不曾想到的玩意儿！

正在他这么思忖着的一瞬间，一根彩色的羽毛从他的尾巴上脱落下来。公鸡即刻衔在嘴里，郑重地送到房门口。

"洪赛克从来不从我的尾巴上拔毛，从来不像别的淘气男孩那样恶作剧。"公鸡寻思着，"让他留个美丽的纪念吧。他瞧着我的尾羽，病很快就会好的。"

山羊看着阔步走去的公鸡，不禁笑得白胡子都抖动起来。

"你倒是给洪赛克送去一件好玩具！可难道你不知道，病人首先需要的是吃点儿可口的东西。"他"咩咩"地说，"好啦，你瞧我的，我给洪赛克送一篮子三叶草去。我亲自试过，一吃三叶草，病准好。洪赛克自己也天天拔这种草来给我吃。今天，我要送点三叶草请他吃。为什么你不给洪赛克送些三叶草呢？"

但是公鸡不理睬他。

"这里发生了什么事？"猫突然"咪咪"地说着，从围墙上跳下来。

"洪赛克病了，"大伙儿争先恐后地对猫说，"他平常对我们都很好的。我们给他送些慰问品去，希望他快快恢复健康。"

"那我也得给他送些什么去，"猫"咪咪"地说，"他每天都给我牛奶喝，又从来不揪我的尾巴。送点什么给他才好呢？老鼠，这是头等慰问品了。可老鼠都是洪赛克的妈妈从屋子里给撵出来的。对了，我已经想出我该怎么做了……门一开开，我就'吱溜'一声钻到洪赛克的被窝里去，我给他烘得浑身暖洋洋的。这样，病人就热乎乎的了。”

猫这么想着，就蹲在门口，等着人来开门。

只有鹅们还在为慰问品的事争辩不休。他们怎么也达不成一致。

“咱们不好给他唱支‘嘎嘎’歌儿吗？”一只老鹅说。

“绝妙的想法！”鹅们都乐开了，“等门一开开，咱们就走上台阶，唱支最欢乐的鹅歌。”

“可不是，你们等着吧，洪赛克听了鹅歌一定会高兴得不得了！”一只麻雀讽刺她们说。

“姐妹们，别理她。”一只老鹅满腔恼怒，说，“她嫉妒咱们的嗓子，她不能像咱们这样唱得雄壮洪亮。”

正当大伙一个挨一个站到门口时，公鸡飞上了窗台，亮开嗓门一声高叫：

“喔——喔——喔！开门哟！”

接着，他用嘴“笃笃”敲了敲窗户玻璃。

这么一来，门儿大开了，门槛上出现了睡得迷迷糊糊的洪赛克。

“你根本没生病呀？”狗惊异地问。

洪赛克的脸儿涨红了。他在不知不觉中，睡过了起床时间，所以没有出来。他为自己起晚了而感到很不好意思。不过，大伙这样爱护他，他心里真是太高兴了。于是，他动手给狗舀来了一大碗清水，给猫拿来了牛奶，给鸡撒了一把麦粒……

（韦苇译）

导读

毕齐什卡是前捷克斯洛伐克当代女作家，代表作有中篇童话《银色的云》。《洪赛克和他的朋友》是她低幼童话的名篇。洪赛克睡觉睡过了起床时间，他的好朋友鸡、羊、猫、狗、鹅都以为他生病了，而各尽其能地准备慰问品去看望洪赛克。洪赛克醒后得知这一切，既高兴又很不好意思。作者巧妙地运用“误会法”，篇末才点明洪赛克“生病”的原因，让孩子们不得不一直读到末尾。最后在人和动物和谐相处的美妙情景的感染下，体会到“爱要用爱来换取”的道理。作品中出现的各种家畜都是充分拟人化了的，就像生活中的幼儿一样，感情丰富而直率，又以自己的想象为依据来处理问题，但从动物们的言行可以看出洪赛克平时给予动物们的爱心，是爱的力量消融了人与动物的界线。虽然是极度夸张了的情节，却合情合理，表达了作者对爱心的礼赞和呼唤，给小读者别开生面地上了一堂“爱的教育”课。

【摩尔多瓦】斯皮尔东·万格利

古古采的魔帽

爸爸给古古采缝了一顶尖尖帽。因为帽子太大，这就引出了一段故事。

“它会遮住脸，什么都看不见啦，爹。”

“你不会用两只手往上抬着吗，古古采？这样，你整个冬天就不愁没事干了。”

啊，原来是这样！这么说来，古古采就没其他什么事儿可做了？是不是真的这样，咱们还得瞧瞧。

早晨，古古采起得比谁都早。他轻手轻脚走到院子里，悄悄抱饲料喂过了羊群。爸爸来时，古古采已经骑上一头大公羊颠儿颠儿地满圈跑了。

“早上好，古古采！”

“啊——！你好，爹！”他打了个手势，“饲料拿回去吧，羊喂过了。”

从这天起，羊群就都由古古采照料。

严寒加足劲儿向人们袭来。走在街上，就像走在木楼梯上似的，雪在脚下“咯吱咯吱”响个不停。

古古采在路上走，走着走着，赶上了一个一年级的女娃娃。这可怜的小姑娘全身都冻得发青了。他替小姑娘拿着书，她把双手插在袖筒里，蹦跳着跟在他身后走。古古采把小姑娘的书夹在自己的胳肢窝下。走啊走啊，他忽然想起一个绝妙的主意。哈，他想，我把书放进尖帽里，尖帽空着哩，书和脑袋反正都能装进去。古古采摘下尖帽。这时，他瞅了瞅小姑娘，问道：

“你冷吗？说实话。”

“有点冷。”小姑娘磕碰着牙齿说。

“那你把我的帽子戴上。”

“不，古古采。那样你会冻坏的。而且女生也不戴这种尖尖帽的。”

“你不戴，我也不要它了。”古古采说，“那就扔在路上得了。”

古古采真的把尖帽搁在了雪地上。

他们走着，古古采走在前，小姑娘跟在后。他们一边走，一边频频回头看。尖帽孤零零地站着——它的主人不要它了。

帽子站着，站着，憋足劲儿，吸进了一大股气。帽子一吸进气，就长高长大了。

古古采发觉帽子长大了，就回转去拿起帽子，一下戴到自己头上，同时也把小姑娘的头给盖上了。他们一同往前走，帽子给他们挡住了寒冷。

从这天起，一年级女娃娃一放学，古古采就在校门口等着她们了。他的帽子盖住了七八个小姑娘的头，把她们一个个分别送回家。有一回，甚至女老师和孩子们一起戴着这顶帽子从学校里走出来。人们看这情景，都惊讶地摊开双手，说：

“瞧哎，瞧这帽子！就像堆得又尖又稳的草垛儿！妙极了，实在是妙！”

古古采把小姑娘们送回家后，帽子又一下变成原来那样小了，他回家，照样可以把它挂在衣帽钩上。

有一天，帽子忽然不随古古采的意，不会变大了。他向它许这个愿，许那个愿，又是抚摸它，又是乞求它，可帽子就是不变大。而偏偏在这时候，学校里那冻得发哑的铃声“叮叮”响了。这天，天是这么冷，冷得全村听不见一声狗叫。

古古采只好回家去。一回到家，他全明白了，原来是今儿个早上他没给羊喂草料！古古采拍了拍自己的脑门儿——喂羊这大事今后可别忘了。于是，帽子又听他的话了。

不久，古古采想出了一个好主意：让帽子把全村所有人家都盖上。为了做到这个，他连邻居家的羊群也喂了。帽子这就随古古采的心意长大，长呀长呀，直长大到把全村所有人家都盖了起来。

春天来到了古古采的大魔帽底下。当然，白天也得开亮电灯。然而帽子下的生活多红火：各种机器“轰轰隆隆”地响着，吊井上上下下忙个不停。人们来来往往都不用戴帽了，因为，第一，大伙儿感到挺暖和，第二呢，大家都已经戴着古古采的大尖帽了。全村只要剩几顶帽子便够用了：有人要进城去买芝麻酥糖、胡桃酥糖、买面包，或去办事，才戴一戴。那是必须戴上帽子的，要知道，一走出古古采的魔帽，外面照样还是寒冷的世界。

（韦苇译）

导读

斯皮尔东·万格利（1932—　）是当代摩尔多瓦最著名的儿童文学作家。1954 年开始创作儿童文学作品。影响最大的是以古古采为主人公的童话系列。作者因《古古采当了船长》获摩尔多瓦共和国国家文学奖、因《古古采和他的朋友们》获苏联国家文学奖。在摩尔多瓦还生产有“古古采纪念章”“古古采洋娃娃”，开办了“古古采咖啡馆”。此外，1974 年，万格利还因《爷爷的使臣》而获国际安徒生儿童文学奖。

《古古采的魔帽》是古古采系列故事中的名篇。万格利成功地将从内质来看是属于民间文学的品格融入了这个来自摩尔多瓦乡村的当代男孩的形象中，使得这个小摩尔多瓦人有着高尚的灵魂和宽广的胸怀，人见人爱。